RaeAnne Thayne

Romance de invierno

Editado por HARLEQUIN IBÉRICA, S.A.
Núñez de Balboa, 56
28001 Madrid

© 2012 RaeAnne Thayne
© 2014 Harlequin Ibérica, S.A.
Romance de invierno, n.º 2030 - 5.11.14
Título original: A Cold Creek Noel
Publicada originalmente por Harlequin Enterprises, Ltd.

I.S.B.N.: 978-84-687-4767-5
Depósito legal: M-24045-2014
Editor responsable: Luis Pugni
Impresión en CPI (Barcelona)
Fecha impresión Argentina: 4.5.15
Distribuidor exclusivo para España: LOGISTA
Distribuidor para México: CODIPLYRSA
Distribuidores para Argentina: interior, BERTRAN, S.A.C. Vélez
Sársfield 1950 Cap. Fed./ Buenos Aires y Gran Buenos Aires,
VACCARO SÁNCHEZ y Cía, S.A.

Capítulo 1

VAMOS, Luke. Vamos, amigo. Aguanta.
El limpiaparabrisas quitaba la nieve del cristal mientras Caidy Bowman recorría las calles de Pine Gulch, Idaho, en una tormentosa tarde de diciembre. Habían caído solo unos centímetros de nieve, pero las carreteras resultaban peligrosas al estar resbaladizas. Por un momento se arriesgó a levantar la mano del volante de su furgoneta para acariciar al animal lloroso que iba sentado en el asiento del copiloto.

—Ya casi hemos llegado. Te pondrás bien, te lo juro. Aguanta, amigo. Solo unos minutos más. Eso es todo.

El pequeño border collie la miró con una confianza que no merecía, ella frunció el ceño y se sintió culpable.

Las lesiones de Luke eran culpa suya. Debería haberlo vigilado. Sabía que el cachorro era muy curioso y que no solía hacerle caso cuando se proponía investigar algo.

Caidy estaba trabajando en el problema de la obediencia, y habían hecho avances las últimas semanas, pero un momento de desatención podía ser desastroso, como había quedado demostrado en la última hora. No sabía si sería irresponsabilidad o arrogancia por su parte al pensar que entrenarlo ella sola sería suficiente. En cualquier caso, debería haberlo mantenido alejado del redil de Festus. El toro era un animal con mal genio y no le gustaba que los pequeños border collies se acercaran a husmear en su terreno.

Alertada por los ladridos de Luke y después por los gruñidos furiosos del toro, Caidy había llegado corriendo justo a tiempo de ver como el viejo Festus golpeaba a Luke con las patas traseras, lo que había provocado la rotura de algún hueso.

Apretó el volante con fuerza y maldijo en voz baja cuando el último semáforo antes de llegar al veterinario se ponía amarillo cuando ella estaba aún demasiado lejos para cruzarlo. Estuvo casi tentada de saltárselo. Incluso aunque la detuvieran por saltarse un semáforo en rojo en Pine Gulch, probablemente podría librarse de la multa, teniendo en cuenta que su hermano era el jefe de policía y comprendería que se trataba de una emergencia. Sin embargo, si la paraban, supondría un retraso inevitable y no tenía tiempo para eso.

La luz del semáforo cambió al fin y ella aceleró sin dudar.

Finalmente llegó al edificio donde se encontraba la clínica veterinaria de Pine Gulch y aparcó la furgoneta junto a la puerta lateral, pues sabía que desde ahí tardaría menos en llegar a la consulta.

Pensó en entrar ella misma con el perro, pero a su hermano Ridge y a ella ya les había costado un gran esfuerzo ponerle una manta debajo y trasladarlo hasta el asiento de la furgoneta. Decidió que los de la clínica podrían sacar allí la camilla.

—Voy a pedir ayuda —le dijo acariciándole el cuello a Luke—. Tú aguanta aquí.

El perro gimoteó de dolor y ella se mordió el labio con fuerza mientras intentaba controlar el miedo. Quería a aquel perrito, aunque fuese un cotilla.

El animal confiaba en ella para que cuidara de él, y Caidy se negaba a dejarlo morir.

Corrió hacia la puerta delantera e ignoró el aguanieve que le golpeaba la cara a pesar de llevar el sombrero puesto.

Sintió el aire caliente al abrir la puerta.

—Hola, Caidy —dijo una mujer con pijama verde mientras corría hacia la puerta—. Has tardado poco desde River Bow.

—Hola, Joni. Puede que haya infringido algunas normas de tráfico, pero es una emergencia.

—Después de que llamaras, he advertido a Ben de que venías y cuál era la situación. Está preparado. Le diré que has llegado.

Caidy esperó y sintió el paso de cada segundo a medida que pasaba el tiempo. El nuevo veterinario llevaba solo unas semanas en el pueblo y ya había hecho cambios en la clínica. Tal vez estuviera siendo pesimista, pero le gustaba más cuando el doctor Harris llevaba la clínica. La zona de recepción parecía diferente. El alegre amarillo de las paredes había sido sustituido por un blanco aburrido, y el viejo sofá y las sillas habían dado paso a unos bancos modernos cubiertos de vinilo. En un rincón había un muestrario de regalos navideños apropiados para veterinarios, incluyendo un enorme calcetín lleno de juguetes y un hueso de cuero gigante que parecía sacado de un dinosaurio.

Lo más significativo era que antes la recepción estaba abierta, pero ahora se ocultaba tras un medio muro con la parte de arriba de cristal.

Desde un punto de vista eficiente, tenía sentido modernizar, pero a ella le gustaba más el aspecto acogedor y desgastado de antes.

Aunque en aquel momento no le importase nada de aquello, teniendo a Luke en la camioneta, herido y probablemente asustado.

¿Dónde se había metido el veterinario? ¿Estaría haciéndose las uñas? Solo había pasado un momento, pero cada segundo era vital. Justo cuando estaba a punto de llamar a Joni para ver por qué tardaban tanto, se abrió la puerta de la consulta y apareció el nuevo veterinario.

—¿Dónde está el perro? —preguntó abruptamente, y a ella le pareció ver a un hombre moreno de ceño fruncido vestido con un pijama azul.

—Sigue en mi furgoneta.

—¿Por qué? No puedo tratarlo ahí.

—Sí, eso ya lo sé —contestó Caidy intentando sonar civilizada—. No quería moverlo. Temo que se le haya podido romper algo.

—Creía que había sangre de por medio.

Caidy no estaba segura de qué le había dicho exactamente a Joni al llamar para decir que iba de camino.

—Al final ha terminado debajo de un toro. No sé si eso ha sido antes o después de que el otro perro le pisoteara.

El veterinario apretó la boca.

—Un perro joven no tiene por qué andar correteando suelto cerca de un toro peligroso.

—Tenemos un rancho de ganado en River Bow, doctor Caldwell. Estos accidentes ocurren.

—No deberían ocurrir —respondió él antes de darse la vuelta y volver a entrar en la consulta.

Ella lo siguió y deseó que el doctor Harris estuviera allí. El viejo veterinario se había encargado de todos los perros que ella había tenido, desde su primer border collie, Sadie, que aún tenía.

El doctor Harris era su amigo y su mentor. Si hubiera estado allí, le habría dado un abrazo con olor a linimento y a caramelos de cereza, y le habría prometido que todo saldría bien.

El doctor Ben Caldwell no se parecía en nada al doctor Harris. Era desagradable y arrogante, y ya le caía mal.

El veterinario la miró con una mezcla de sorpresa y desagrado al ver que lo había seguido desde la sala de espera hasta la consulta.

—Por aquí es más rápido —explicó ella—. He aparcado junto a la puerta lateral. Pensé que sería más fácil transportarlo en una camilla desde ahí.

Él no dijo nada, simplemente salió por la puerta lateral que ella había señalado. Caidy fue tras él, preguntándose cómo el reino animal de Pine Gulch sobreviviría sin la compasión y el cariño por el que era conocido el doctor Harris.

Sin esperarla, el veterinario abrió la puerta de la furgoneta. Mientras ella miraba, fue como si de pronto un hombre diferente se hiciera cargo de la situación. Sus rasgos severos parecieron suavizarse y hasta pareció que sus hombros se relajaban.

—Hola, muchacho —le susurró al perro desde la puerta abierta del vehículo—. Te has metido en un buen lío, ¿verdad?

A pesar del dolor, Luke respondió al desconocido intentando agitar el rabo. No había sitio para ambos en el asiento del copiloto, de modo que ella se acercó al lado del conductor y abrió la puerta para ayudar a sacar al animal de allí. Para cuando quiso hacerlo, el doctor Caldwell ya había colocado otra manta debajo de Luke y tenía los bordes agarrados.

Se fijó en que tenía las manos grandes, y la marca blanquecina en un dedo, que indicaba que en otra ocasión había llevado anillo de boda.

Sabía algo de él gracias a los cotilleos que circulaban por el pueblo. Era difícil no enterarse cuando se alojaba en el hotel Cold Creek, regentado por su cuñada, Laura, casada con su hermano Taft.

Laura normalmente no chismorreaba sobre sus huéspedes, pero la semana anterior, durante la cena, su hermano Trace, que como jefe de policía se encargaba de averiguarlo todo sobre cualquier recién llegado al pueblo, la había interrogado con tanta maestría que probablemente Laura no supiese qué cosas había contado.

Gracias a esa conversación, Caidy había descubierto que Ben Caldwell tenía dos hijos, una niña y un niño, de nueve y cinco años respectivamente, y que era viudo desde hacía dos años.

A todo el mundo le resultaba un misterio por qué había decidido instalarse en un pueblo tranquilo como Pine Gulch. Según su experiencia, la gente que aparecía en aquel rincón perdido de Idaho, al refugio de las Montañas Rocosas, estaba buscando algo o huyendo de algo.

Se recordó a sí misma que aquello no era asunto suyo. Lo único que le importaba era cómo tratase a los perros. A juzgar por cómo movía las manos sobre las lesiones de Luke, parecía competente e incluso cariñoso, al menos con los animales.

—Muy bien, Luke. Tú quédate quieto. Buen chico —le dijo al animal con voz calmada—. Ahora vamos a moverte. Tranquilo.

Le pasó a ella la camilla a través de la cabina de la furgoneta y después agarró de nuevo la manta para hacer el traspaso.

—Voy a levantarlo ligeramente y así podrá deslizar la tabla por debajo. Despacio. Sí. Así.

Caidy tenía experiencia en trasladar animales heridos. Años de experiencia. Le molestaba que la tratara como si no supiera nada sobre ese tipo de emergencias, pero no le pareció el momento adecuado para corregirle.

Juntos llevaron la camilla hasta la consulta y dejaron al perro sobre la mesa.

No le gustaba el dolor que veía en los ojos de Luke. Le recordaba mucho a la mirada de Lucky, el pequeño beagle de su hermano Taft, después del accidente de coche que había estado a punto de acabar con su vida.

Se recordó a sí misma que ahora Lucky era feliz. Vivía con Taft, con Laura y con sus dos hijos en casa de Taft, junto al comienzo del cañón de Cold Creek, y se creía el rey del mundo. Si Lucky había podido sobrevivir a eso, no veía razón por la que Luke no pudiera hacer lo mismo.

—Tiene una perforación bastante fea. De al menos dos o cuatro centímetros de profundidad. Me sorprende que no sea más profunda.

Eso era porque había conseguido poner a Luke a salvo antes de que Festus terminara con él.

—¿Y la pata? ¿Puede salvarla?

—Tendré que hacerle una radiografía antes de poder responder a eso. ¿Hasta dónde está dispuesta a llegar con el tratamiento?

Le llevó unos segundos darse cuenta de lo que estaba preguntándole. Una de las cosas difíciles de la vida de un veterinario era saber que, aunque el doctor tuviera el poder para salvar al animal, a veces el dueño no podía permitirse pagar el tratamiento.

—Estoy dispuesta a hacer lo que sea necesario —respondió Caidy—. No me importa el precio. Usted haga lo que tenga que hacer.

Él asintió sin dejar de mirar al perro.

—Sin importar lo que salga en la radiografía, el tratamiento va a durar varias horas. Puede irse. Déjele su número a Joni y le diré que la llame cuando sepa más.

—No. Esperaré aquí.

La sorpresa que vio en sus ojos azules le molestó tremendamente. ¿Pensaba que iba a abandonar a su perro allí con un desconocido durante un par de horas para irse a la peluquería?

—Usted decide.

—Puedo ayudarle aquí. Tengo cierta… experiencia y a veces ayudaba al doctor Harris. De hecho trabajé aquí cuando era adolescente.

Si su vida hubiera salido más acorde con sus planes, tal vez habría sido ella quien se hiciera cargo de la clínica del doctor Harris, aunque esperaba no ser tan amargada y desagradable como aquel nuevo veterinario.

—No será necesario —contestó el doctor Caldwell—. Joni y yo podemos hacernos cargo. Si insiste en esperar, puede tomar asiento en la sala de espera.

Menudo imbécil. Caidy habría podido insistir. Al fin y al cabo iba a pagar por el tratamiento. Si quería quedarse junto a su perro, el desconsiderado doctor Ben Caldwell no podría hacer nada por impedirlo.

Pero no quería perder tiempo y poner en peligro el tratamiento de Luke.

—De acuerdo —murmuró. Se dio la vuelta y abrió las puertas que daban a la sala de espera.

Tras enviarle un mensaje a Ridge para ponerle al corriente de la situación y recordarle que tendría que recoger a su hija, Destry, de la parada del autobús del colegio, se dejó caer en uno de los incómodos bancos grises y agarró una revista de la mesita.

Estaba hojeando la revista sin prestar atención a los titulares cuando se oyeron las campanitas de la puerta y un niño de unos cinco años entró corriendo, seguido de una niña algo mayor.

—¡Papá! ¡Estamos aquí!

—Shh —una mujer rechoncha y jovial que debía de tener sesenta y pocos años entró detrás de los niños—. Sabes que no debes gritar, jovencito. Puede que tu padre esté atendiendo a algún animal.

—¿Puedo ir a buscarlo? —preguntó la niña.

—Dado que Joni tampoco está aquí, deben de estar los dos ocupados. No querrá que le molesten. Sentaos aquí y yo iré a decirle que estamos aquí.

—Podría ir yo —insistió la niña a regañadientes, pero se sentó en el banco que había frente a Caidy.

De tal palo, tal astilla, pensó ella. Obviamente aquella era la familia del nuevo veterinario y su hija, al menos, parecía compartir con su padre algo más que los ojos azules.

—Siéntate —le ordenó a su hermano. El niño no le sacó la lengua a su hermana, pero estuvo a punto. Se limitó a ignorarla y se colocó justo delante de Caidy.

El niño tenía pico de viuda en el pelo y los ojos azules y muy grandes. Un rasgo de los Caldwell, aparentemente.

—Hola —le dijo con una sonrisa—. Soy Jack Caldwell. Mi hermana se llama Ava. ¿Quién eres tú?

—Yo me llamo Caidy —respondió ella.

—Mi padre es médico de perros.

—No solo de perros —le corrigió su hermana—. También atiende a gatos. A veces incluso caballos y vacas.

—Lo sé —dijo Caidy—. Por eso estoy aquí.

—¿Tu perro está enfermo? —preguntó Jack.

—Más o menos. Le han hecho daño en nuestro rancho. Vuestro padre está curándole ahora.

—Es muy bueno —dijo la niña con orgullo evidente—. Apuesto a que tu perro se pondrá bien.

—Eso espero.

—A nuestro perro le atropelló un coche una vez y mi padre le curó y ahora está mucho mejor —explicó Jack—. Bueno, aunque ahora solo tiene tres patas. Se llama Tri.

—*Tri* significa «tres» —le informó Ava con un tono arrogante—. Ya sabes, igual que un triciclo tiene tres ruedas.

—Es bueno saberlo.

Antes de que los niños pudieran decir algo más, la mujer mayor regresó a la sala de espera con una sonrisa triste.

—Parece que estamos solos para cenar, chicos. Vuestro padre está ocupado curando a un perro herido y va a tardar un rato. Iremos a comprar algo de cena y después volveremos al hotel para hacer los deberes antes de acostarnos.

—Se hospedan en el hotel Cold Creek, ¿verdad? —preguntó Caidy.

La otra mujer asintió con cierto recelo.

—Perdón, ¿nos conocemos?

—Soy Caidy Bowman. Mi cuñada Laura lleva el hotel.

—¿Eres la hermana del jefe Bowman? —Caidy advirtió en ella un tono amistoso casi de inmediato. El encandilador de su hermano tenía ese efecto en las mujeres, sin importar su edad.

—Así es. Ambos jefes Bowman —con un hermano jefe de policía y otro al frente del cuerpo de bomberos, nada excitante ocurría en el pueblo sin que alguien de su familia se viese implicado.

—Me alegro mucho de conocerte. Soy Anne Michaels, el ama de llaves del doctor Caldwell. O lo seré cuando por fin se instale en su casa. Como el servicio de limpieza se encarga de nuestras habitaciones en el hotel, no tengo mucho más que hacer. Supongo que ahora mismo solo soy la niñera.

—Ah.

—El doctor Caldwell se está construyendo una casa en la carretera de Cold Creek. Se suponía que debía terminar la semana pasada, pero el contratista tuvo algunos problemas y aquí estamos. Seguimos en el hotel. Que es precioso, no me malinterpretes, pero no deja de ser un hotel. Después de tres semanas, estamos todos un poco cansados. Y ahora parece que vamos a seguir ahí hasta después de Año Nuevo. Las Navidades en un hotel. ¿Te lo puedes imaginar?

—Debe de ser muy frustrante para todos vosotros.

—No lo sabes bien. Dos niños en un hotel, incluso en dos habitaciones, durante tantas semanas es demasiado. Necesitan espacio para correr. Les pasa a todos los niños. En San José, los niños tenían un jardín enorme, con piscina y columpios como los de cualquier parque.

—¿Entonces sois de California?

Anne Michaels asintió.

Anne observó a los niños, que no les prestaban ninguna atención mientras jugaban con una videoconsola que Ava había sacado de su mochila.

—Sí. Yo soy de California. Nací y me crié allí. El doctor Caldwell no. Él es del este. De Chicago. Pero lo dejó todo sin mirar atrás para irse al oeste a estudiar veterinaria en UCDavis. Y ahí es donde conoció a la difunta señora Caldwell. Me contrataron para ayudar con la casa cuando ella estaba embarazada del pequeño Jack, y llevo con ellos desde entonces. Los pobres niños me necesitaban más que nunca después de que su madre muriera. El doctor Caldwell también. Fue una época terrible.

—Me lo imagino.

—Cuando decidió mudarse a Idaho, me dio la opción de dejar el trabajo con buenas recomendaciones, pero no podía hacerlo. Quiero a esos niños, ¿sabes?

Caidy lo entendía bien. Quería a su sobrina Destry como si fuera suya. Había desarrollado un fuerte vínculo con ella después de que su madre los abandonara a Ridge y a ella.

—Claro que sí.

De pronto Anne Michaels negó con la cabeza.

—Mírame, divagando con una desconocida. Estar metida en ese hotel durante tantas semanas está volviéndome loca.

—Tal vez podáis encontrar algo de alquiler mientras terminan la casa —sugirió Caidy.

—Eso era lo que yo deseaba hacer, pero Ben no cree que podamos encontrar a nadie dispuesto a alquilarnos una casa solo durante unas semanas, y menos durante las Navidades.

Caidy pensó en la casa del capataz, que llevaba vacía seis meses, desde que la joven pareja de recién casados que Ridge había contratado para ayudar en el rancho se mudara a trabajar a otro rancho de Texas.

Estaba amueblada con tres dormitorios y probablemente satisfaría las necesidades de los Caldwell, pero no sabía si mencionarlo. No le caía bien el veterinario. ¿Por qué iba a querer que viviese solo a cuatrocientos metros?

—Podría preguntar por ahí. En el pueblo hay algunos lugares de vacaciones que podrían estar disponibles. Al menos así tendréis algo de tranquilidad durante las Navidades, hasta que la casa esté terminada.

—¡Qué amable por tu parte! —exclamó la señora Michaels.

Caidy se sintió culpable. Si fuera realmente amable, les habría ofrecido la casa del capataz de inmediato.

—Todos en Pine Gulch están siendo muy amables con nosotros —continuó la mujer.

—Espero que os sintáis como en casa.

—Entonces, supongo que el perro al que está atendiendo el doctor Caldwell es tuyo.

Caidy asintió.

—Ha tenido una pelea con un toro. Cuando enfrentas a un perro de dieciocho kilos con un toro que pesa una tonelada, normalmente gana el toro.

—Es un gran veterinario, querida. Estoy segura de que tu mascota se pondrá bien enseguida.

Los border collies del rancho de River Bow no eran exactamente mascotas, eran una parte vital del trabajo. Salvo Sadie, que estaba demasiado mayor para llevar al ganado.

—Tengo hambre, señora Michaels. ¿Cuándo vamos a comer? —aparentemente aburrido del videojuego, Jack se había acercado a ellas.

—Creo que a vuestro padre le queda un rato. ¿Por qué no nos vamos Ava, tú y yo a buscar algo? Quizá podamos cenar en el café esta noche. Será divertido, y además podremos comprar algo para vuestro padre.

—¿Puedo tomar un rollito dulce? —preguntó Jack con la cara iluminada.

—Ya veremos —contestó el ama de llaves riéndose—. Creo que la venta de rollitos dulces del café se ha triplicado desde que llegamos al pueblo, y todo gracias a ti.

—Están deliciosos —convino Caidy.

La señora Michaels se puso en pie con el crujido de algunas articulaciones.

—Ha sido un placer conocerte, Caidy Bowman.

—Yo también me alegro de conocerte. Y estaré atenta por si veo algo en alquiler.

—Tendrás que hablar de eso con el doctor Caldwell, pero gracias.

La mujer parecía eficiente, pensó Caidy mientras la veía llevar a los niños hacia la puerta.

La recepción se quedó más desolada cuando se marcharon. Aunque eran poco más de las seis, ya había oscurecido, pues era uno de los días más cortos del año. Caidy siguió hojeando la revista un poco más hasta que la cerró y volvió a dejarla sobre la pila.

Maldición. Su perro estaba ahí dentro. No podía quedarse allí sentada sin hacer nada. Al menos se merecía saber qué estaba pasando. Reunió valor, tomó aliento y abrió la puerta.

Capítulo 2

BEN aplicó el último punto para cerrar la herida y notó el dolor de cabeza y la rigidez en los hombros después de un día muy largo de trabajo que había empezado con una llamada de emergencia para tratar a un caballo enfermo a las cuatro de la mañana.

Le hubiera encantado pasar la noche con sus hijos y después pasar unas horas viendo el baloncesto en la televisión del hotel. Incluso, aunque tuviera que poner bajo el volumen para no despertar a Jack, la idea le resultaba apetecible.

La última semana había sido dura y ajetreada. Aunque se recordó a sí mismo que aquello era lo que deseaba. A pesar de que el trabajo fuese pesado, por fin tenía la oportunidad de construir su propia clínica, de establecer nuevas relaciones y de formar parte de una comunidad.

—Ya está. Eso debería bastar por ahora.

—Qué desastre. Tras ver lo cercana al hígado que

era la incisión, no puedo creer que haya sobrevivido
—comentó Joni.

Ben no quería admitir delante de su ayudante que
el estado del perro seguía siendo delicado.

—Creo que lo conseguirá —continuó ella, siempre
optimista—. No como el pobre Terranova de antes.

Recordó su frustración de aquella tarde mientras
empezaba a vendar la herida. Había sido una tragedia.
El hermoso perro había saltado de la parte de atrás de
una camioneta en marcha y había sido atropellado por
el coche que iba detrás.

Ese perro no había tenido tanta suerte como Luke.
Sus lesiones eran muy graves y había muerto en aquella misma mesa.

Lo que realmente le había molestado era la actitud
del dueño, más preocupado por la pérdida del dinero
que había invertido en el animal que por la pérdida del
mismo.

—Ninguno de los accidentes habría tenido lugar de
no haber sido por la irresponsabilidad de los dueños.

Joni, que se encontraba limpiando el desastre que
quedaba siempre después de una intervención, lo miró
algo sorprendida por su vehemencia.

—Estoy de acuerdo en el caso de Artie Palmer. Es
un idiota al que no debería permitírsele tener animales.
Pero no es el caso de Caidy Bowman. Es la última a la
que yo llamaría una dueña irresponsable. Entrena a perros y a caballos en el rancho River Bow. Nadie de por
aquí lo hace mejor que ella.

—Pues a este no le ha entrenado muy bien, ¿no? Si
ha salido corriendo y se ha encontrado con un toro.

—Parece que no.

Ben se dio la vuelta al oír la nueva voz y encontró
a la dueña del perro de pie en la puerta. Él maldijo

para sus adentros. Pensaba lo que decía, pero no hacía falta decírselo a ella a la cara.

—Creí haberle sugerido que esperase en la otra habitación.

—¿Sugerido? ¿Así llaman a eso los veterinarios de ciudad? —se encogió de hombros—. A mí no se me da muy bien hacer lo que me dicen, doctor Caldwell.

En algún momento mientras curaba a su perro, Ben se había dado cuenta de que había actuado como un imbécil con ella. Nunca insistía en que los dueños esperasen fuera de la consulta, a no ser que pensara que pudieran ser sensibles. ¿Por qué entonces había cambiado su política con Caidy Bowman?

Algo en ella le ponía un poco nervioso. No sabía qué era, pero podría tener algo que ver con aquellos ojos de un verde imposible y la dulce inclinación de su boca.

—Acabamos de terminar. Iba a llamarla.

—Entonces, me alegro de haber desobedecido su sugerencia. ¿Puedo?

Él le hizo un gesto para que pasara y ella se acercó a la mesa, donde el perro seguía tumbado bajo los efectos de la anestesia.

—Aquí está mi chico. Oh, Luke —le acarició la cabeza al animal y este abrió levemente los ojos antes de volver a cerrarlos.

—Tardará al menos media hora más hasta que se le pase el efecto de la anestesia, y después tendremos que dejarlo aquí, al menos esta noche.

—¿Alguien se quedará con él?

En su clínica de San José, un técnico y él solían turnarse cada pocas horas durante la noche cuando tenían perros muy enfermos ingresados, pero todavía no había tenido tiempo de contratar al personal suficiente.

Asintió y vio como se esfumaban sus planes de una cena tranquila viendo el baloncesto en la habitación del hotel. Últimamente se había acostumbrado al camastro que tenía en su despacho. ¿Qué haría sin la señora Michaels?

—Alguien estará aquí con él. No se preocupe.

Ella pareció sorprendida. Al principio Ben no entendió por qué, pero después se dio cuenta de que estaba reaccionando a su amabilidad. Debía de haber sido un auténtico imbécil con ella.

—Siento lo de antes —le dijo, aunque no se le daba bien disculparse. Probablemente la culpa fuese de su abuelo, pero aquella disculpa le parecía necesaria—. Por no haberle dejado estar presente durante el tratamiento, quiero decir. Debería habérselo permitido. Y también siento lo que acabo de decir. Normalmente no soy tan… duro. Ha sido un día muy difícil y temo que lo haya pagado con usted.

—Ha podido salvarle la pata —respondió ella, ocultando sus emociones bajo una mirada impasible—. Estaba segura de que tendría que amputársela.

—Entonces no podría cumplir su función como perro de rancho, ¿no?

—Probablemente no. Por suerte no es eso lo único que me importa —dijo ella con frialdad.

—He podido soldarle la pata por ahora, pero no hay garantías de que se cure correctamente. Puede que aun así tengamos que amputársela. Ha tenido suerte, si quiere que le diga la verdad. Mucha suerte. No sé cómo ha salido de una sola pieza tras un encontronazo con un toro. Sus lesiones podrían haber sido mucho peores.

—¿Y la parte de la herida?

—No ha tocado sus órganos vitales. La perforación solo tiene cuatro centímetros de profundidad. Supongo que el toro no estaba tan enfadado.

—Pensaría de otra forma si hubiera estado ahí. Estaba ciego de ira. Cuando saqué al perro, golpeó la verja con tanta fuerza que desencajó uno de los pilares.

¿Ella había sacado al perro? Debía de estar loca para enfrentarse a un toro enfurecido. ¿En qué estaría pensando?

—Parece que ya vuelve en sí —dijo él.

El perro gimoteó y Caidy Bowman se inclinó sobre él. Su pelo oscuro era casi del mismo color que el del animal.

—Hola. Ahora ya estás mejor, Luke. Te pondrás bien. Sé que te duele y que estás confuso y asustado, pero el doctor Caldwell te ha curado y, antes de que te des cuenta, estarás corriendo por el rancho con King, con Sadie y con todos los demás.

Caidy olía muy bien, como a vainilla y flores silvestres. Aquel aroma resultaba un cambio agradable en comparación con los olores, a veces desagradables, de una clínica veterinaria.

Fue un descubrimiento inquietante. No quería fijarse en nada de ella. Ni en su dulce olor ni en la curva elegante de su cuello. Y tampoco quería ver como, al colocarse el pelo detrás de la oreja, dejó ver un pequeño lunar justo debajo del lóbulo…

Ben se obligó a apartarse y bloqueó el sonido de su voz mientras calmaba al perro.

Casi se había olvidado de su empleada, hasta que esta salió del vestuario poniéndose el abrigo.

—¿Te importa que me vaya? Lo siento. Es que son más de las seis y media y tengo que estar en la fiesta de Navidad de mi parroquia dentro de media hora. Y todavía tengo que ir a casa a por las galletas.

—No. Puedes irte. Siento haberte hecho trabajar hasta tan tarde.

—No ha sido culpa tuya.

—La culpa es del curioso de mi perro —comentó Caidy con una sonrisa de disculpa.

Joni se encogió de hombros.

—Los accidentes ocurren, sobre todo en un rancho. Gracias, Ben. Que paséis buena noche.

—Te acompaño fuera —dijo él.

Joni puso los ojos en blanco; llevaban teniendo aquella discusión desde que había llegado al pueblo. Su clínica de San José no había estado en la mejor zona de la ciudad y siempre se aseguraba de que las mujeres que trabajaban para él llegaran sanas y salvas a sus coches en el aparcamiento.

Probablemente fuese una costumbre anticuada, pero, cuando estudiaba en la universidad, habían asaltado a una amiga suya de camino al coche tras una clase a última hora, y la chica había acabado por dejar las clases.

El aire frío de la calle le aportó un poco de energía. La nieve parecía haber cesado un poco. Las casas que rodeaban la clínica mostraban sus lucecitas tintineantes de Navidad, y una vez más se arrepintió de no haber colgado algunas en la ventana de la clínica.

El coche de Joni estaba cubierto de nieve y él la ayudó a quitarla.

—Gracias, Ben —dijo ella con una sonrisa—. Eres el único jefe que alguna vez me ha limpiado los cristales.

—No sé qué haría sin ti ahora mismo —respondió él con sinceridad—. Simplemente no quiero que tengas un accidente de camino a casa.

—Gracias. Que tengas buena noche. Llámame si necesitas que te releve durante la noche.

Él asintió, se despidió de ella y regresó a la clínica tonificado por el aire frío. Abrió la puerta y captó las notas incongruentes de una suave melodía.

Se dio cuenta de que Caidy estaba tarareando. Se detuvo a escuchar y reconoció la melodía de *Greensleeves*. No quiso moverse por miedo a interrumpir.

Creía no haber hecho ningún sonido, pero ella sintió su presencia de todos modos. Levantó la mirada y sus mejillas se sonrojaron.

—Perdón. Debe de pensar que soy ridícula tarareándole a un perro. Ha empezado a ponerse nervioso y… esto parecía tranquilizarle.

—Parece que está dormido otra vez. Yo puedo ocuparme del resto si tiene que marcharse.

—Podría quedarme —respondió ella—. Mi hermano y mi sobrina pueden encargarse del resto de mis animales por esta noche.

—Tenemos esto bajo control. No se preocupe. Estará bien atendido, señorita Bowman.

—Llámeme Caidy, por favor. Nadie me llama señorita nada.

—Caidy, entonces.

—¿Va a venir alguien a relevarle?

—Aún no tengo todo el personal y Joni tiene una fiesta esta noche. Además de un marido y unos hijos. No pasa nada. Tengo una cama en mi despacho. Estaré bien. Cuando tenemos emergencias durante la noche, me las apaño así.

—¿Y sus hijos? —preguntó ella.

—Estarán bien con la señora Michaels. Solo será una noche.

—Ah… gracias.

—Tu factura será más abultada por tener que pasar la noche —le advirtió.

—Me lo imaginaba. Trabajé aquí hace diez años y sé lo que costaban las cosas. Y he visto como aumentaban los precios con los años —hizo una pausa—. Odio tener que dejarlo aquí.

—Estará bien. No te preocupes. Vamos. Te acompaño fuera.

—¿Es un servicio que le ofrece a cualquier mujer que viene a su clínica?

—Tengo que cerrar de todos modos.

Ella se puso el abrigo y después Ben la acompañó por donde había entrado.

Caidy Bowman conducía una camioneta antigua con balas de heno apiladas en la parte de atrás.

—Ten cuidado. Las carreteras estarán resbaladizas después de la nieve.

—Llevo conduciendo por estas carreteras desde antes de cumplir los dieciséis. Puedo enfrentarme a un poco de nieve.

—Estoy seguro de que sí. Pero no quiero que seas tú la próxima en necesitar puntos.

—Es improbable, pero gracias por su preocupación. Y por todo lo que ha hecho hoy. Siento que no pueda ver a sus hijos.

—La clínica está cerrada mañana. Podré pasar todo el día con ellos. Supongo que tendremos que ir a buscar una casa de alquiler en algún lugar. De lo contrario, la señora Michaels va a formar un motín, lo cual sería una pesadilla.

Caidy abrió la boca, volvió a cerrarla y a él le dio la impresión de que estaba debatiendo algo consigo misma.

—En el River Bow tenemos una casa de capataz vacía que podrían usar. No es nada elegante, pero está amueblada. Solo tiene tres dormitorios, pero, si usted se queda con una y la señora Michaels con otra, los niños podrán compartir la tercera habitación.

—Un momento. ¿Por qué conoces a la señora Michaels? ¿Y quién te ha dicho que estábamos buscando casa?

—Nos conocimos antes en la sala de espera. Sabía que se alojaba en el hotel porque mi cuñada Laura es la dueña. Su ama de llaves mencionó que tal vez buscaran algo. A mí se me ocurrió inmediatamente la casa de nuestro rancho. Ahora no la usa nadie, aunque yo me paso una vez a la semana para limpiar el polvo. Como ya le he dicho, no es gran cosa.

—Podríamos apañarnos. ¿Estás segura?

—Tendré que preguntarle a mi hermano primero. Aunque el rancho es de los cuatro, Ridge es quien está realmente al cargo. Pero no creo que diga que no. ¿Por qué iba a negarse?

—Estoy asombrado, Caidy. ¿Por qué ibas a ofrecerle eso a un completo desconocido?

—Ha salvado a mi perro —respondió ella sin más—. Además, me ha caído bien la señora Michaels y creo que ya está cansada de vivir en un hotel. ¿Y cómo va a encontrar Santa Claus a sus hijos en un hotel, por bonito que sea? Deberían tener una casa en condiciones para pasar las Navidades. Una casa donde puedan jugar.

—Estoy de acuerdo. Ese era el plan desde el principio, pero las circunstancias no han ayudado.

—Aún tengo que hablar con Ridge. Le diré la respuesta cuando venga por la mañana a ver a Luke.

—Gracias.

Le dirigió una sonrisa vacilante justo cuando cambiaba la luz de la luna. La luz combinada con su sonrisa logró que pasara de ser guapa a ser extraordinariamente hermosa.

—Buenas noches. Gracias de nuevo por todo.

—De nada.

Ben la vio marchar en la oscuridad. Cuando había decidido comprar la clínica de James Harris, buscaba una comunidad tranquila en la que criar a sus hijos, un lugar donde pudieran instalarse y formar parte de las cosas.

Pine Gulch ya le había dado más sorpresas de las que esperaba; y sospechaba que Caidy Bowman podría ser una de ellas.

Capítulo 3

DICES que el nuevo veterinario solo necesita un lugar donde quedarse durante unas pocas semanas?

Caidy asintió frente a su hermano mayor, que se encontraba junto al fregadero metiendo su plato y el de su hija en el lavavajillas.

—Eso es lo que he entendido. Está construyéndose una casa en la carretera de Cold Creek. Imagino que estará en esa nueva urbanización que hay cerca de casa de Taft. Al parecer se suponía que debía estar terminada antes de que empezara con el trabajo, pero van retrasados. Y no estará lista hasta después de Navidad.

—Es una buena zona. Tiene buenas vistas. Imagino que su casa tendrá vistas mucho mejores que nuestra casa del capataz.

—Ahora están en el hotel. Me dio la impresión de que los niños y el ama de llaves estaban volviéndose un poco locos allí.

Ridge se enderezó y le dirigió una mirada que Caidy conocía bien. Era su mirada de «¿En qué estabas pensando?». Era diez años mayor que ella y Caidy le quería mucho. Se había hecho cargo de ella al morir sus padres y la había criado durante sus últimos años de instituto. Caidy jamás podría devolverle todo lo que había hecho por ella, incluso cuando su propio matrimonio se tambaleaba. Era duro por fuera, pero dulce por dentro.

—¿No se te ha ocurrido pensar que a Laura podría no gustarle la idea de que vayas por ahí buscando otros alojamientos para sus huéspedes?

—Ya la he llamado y le parece bien. Lo único que he tenido que hacer ha sido lograr que se imaginara a Alex y a Maya encerrados en una habitación de hotel durante semanas, incluyendo la época navideña, y enseguida ha mostrado empatía por el doctor Caldwell y su ama de llaves. Le parece una idea fantástica.

No se molestó en decirle a su hermano que la esposa de Taft también le había lanzado un par de indirectas sobre lo guapo que era el nuevo veterinario. Le gustaban los animales y adoraba a sus hijos. ¿Qué más podía necesitar?

Ridge no necesitaba saber eso. Por mucho que quisiera a sus cuñadas y pensase que Laura y Becca eran perfectas para los gemelos, no quería que sus hermanos empezasen también a buscarle pareja. Le daba escalofríos pensar en lo que podrían encontrar.

Tras una de sus largas pausas, Ridge al fin asintió.

—No veo nada de malo en que el doctor Caldwell y su familia se instalen aquí durante unas semanas. La casa está vacía. Puedo pasar el tractor por el jardín para asegurarme de dejarlo limpio. Aunque habrá que quitarle las telarañas y airearla un poco.

—Me encargaré de todo mañana después de ver cómo está Luke.

—¿Qué te han parecido sus habilidades como veterinario? —preguntó Ridge.

—No es el doctor Harris, pero supongo que no está mal.

Ridge se carcajeó.

—Nunca nadie te parecerá tan bueno como el doctor Harris. Juntos os habéis ocupado de muchos animales.

Había disfrutado mucho trabajando en la clínica cuando estaba en el instituto. Era casi lo único que le había ayudado a salir hacia delante tras la muerte de sus padres.

—Es un buen hombre. El doctor Caldwell tiene mucho que hacer para llegar a estar a su altura —respondió ella.

—Por lo que he oído en el pueblo, hasta ahora está haciendo un buen trabajo.

Caidy no quería seguir hablando del veterinario. Bastante fastidio era ya que no pudiera dejar de pensar en él desde que abandonara la clínica.

—¿Qué estabas diciéndole a Destry cuando he empezado a vaciar los platos? He oído algo sobre el carro —comentó Caidy.

Ridge miró a través del hueco de la puerta que daba al comedor, donde Destry se encontraba sentada a la mesa haciendo un trabajo sobre tradiciones navideñas en Europa.

—Des me ha preguntado si podía invitar a Gabi y a otras dos amigas para montar en el carro el domingo por la noche. Me ha sugerido la idea de ir a cantarles villancicos a los vecinos.

Caidy no debería haber compartido con Destry sus

recuerdos de cuando hacía eso mismo de pequeña con sus padres y con sus hermanos.

—¿Qué le has respondido?

Ridge no contestó, pero no hacía falta. Sabía por su expresión que había cedido. Tal vez fuera duro en lo referente al rancho y al ganado, pero en lo referente a su hija era un trozo de pan.

—Eres un buen padre, Ridge.

—Le encanta la Navidad —dijo al fin su hermano—. ¿Qué puedo hacer yo?

Los demás no disfrutaban tanto como Des con las Navidades, pero se esforzaban por ella. Desde que sus padres fueran asesinados pocos días antes de Navidad once años atrás, aquella época siempre despertaba en ellos emociones difíciles.

Becca y Laura habían hecho una especie de milagro navideño con Trace y con Taft. Aquel año los gemelos parecían mucho más metidos en el espíritu navideño. Ambos se habían ofrecido a ir a cortar árboles para todos. Incluso habían cortado algunos de más para los vecinos y amigos.

Ridge y ella no compartían su entusiasmo, aunque todos los años ponían buena cara. Caidy incluso tenía todos sus regalos ya envueltos, a pesar de que quedara más de una semana para Navidad. No quería agobios de última hora aquel año.

—¿A qué hora vienen?

—Le he dicho a Des que sobre las siete. Pensé que para entonces ya habríamos terminado con la cena del domingo.

Aunque Taft y Trace vivían más cerca del pueblo, sus hermanos solían ir con sus familias al rancho todas las semanas. Con el ritmo ajetreado de sus vidas protegiendo y sirviendo a los habitantes de Pine Gulch, a veces era su única oportunidad de verlos en toda la semana.

—Prepararé galletas antes de que lleguen para que tengan algo en el estómago. Y también haré chocolate caliente para el camino, claro.

—Gracias. Destry te lo agradecerá, estoy seguro —Ridge terminó de limpiar la encimera y dejó el trapo junto al fregadero—. ¿No vas a querer venir con nosotros?

—Me parece que no.

—¿Me vas a dejar solo con cinco o seis niñas ruidosas?

—Puedes llevarte a uno de los perros —le sugirió ella con una sonrisa.

—Han pasado once años, Caidy. Trace y Taft han seguido hacia delante y tienen familias. Todos lo hemos hecho y tú te mereces hacer lo mismo. Ojalá pudieras encontrar un poco de alegría navideña de nuevo.

—Tengo bastante alegría el resto del año. Pero no tanta en diciembre.

Cada uno de ellos había luchado de forma diferente tras la muerte de sus padres. Ridge se había vuelto estoico y controlado, Taft había rozado la locura saliendo con todas las mujeres del bar del pueblo y Trace se había hecho policía.

Pero ella seguía allí, escondiéndose en el River Bow.

—Tienes que seguir con tu vida —le dijo su hermano—. Quizá sea el momento de que pienses en volver a clase.

—Quizá —estaba demasiado cansada para discutir sobre eso después de pasarse la tarde en la clínica—. Oye, gracias por dejar que el veterinario se quede en la casa del capataz. No creo que sean más de unas pocas semanas.

Ridge no se dejaba engañar. Sabía que estaba intentando cambiar de tema. Por una vez, decidió no insistir.

—Piénsalo. Durante unas semanas tendremos nuestro propio veterinario interno. Con tu colección de animales, eso será muy útil.

Caidy puso una cara de desprecio. Dado que no le caía bien el doctor Caldwell, preferiría no necesitar sus servicios profesionales en las próximas semanas.

Durante la noche cayeron unos diez centímetros de nieve. Se quedó en las ramas de los árboles y confirió al pueblo un bucólico aspecto invernal, sobre todo con las montañas a lo lejos.

Sumados a los centímetros que habían caído la noche anterior, eso sería suficiente para que Destry se lo pasara en grande con sus amigas en el trineo, pensaba Caidy mientras conducía en dirección a la clínica a la mañana siguiente.

Aún no eran las siete. No había dormido bien y había tenido pesadillas. A pesar de no haber descansado, era capaz de apreciar la belleza de la mañana. Los árboles de Navidad resplandecían en las ventanas de algunas casas, y le gustaba imaginarse a los niños corriendo a encender las luces nada más levantarse para poder disfrutar del espectáculo antes de que el sol estuviese demasiado alto.

Cuando llegó a la consulta del doctor Caldwell, no le sorprendió ver que aún no habían limpiado la nieve del aparcamiento. Como muchos negocios en Pine Gulch, probablemente pagaría un servicio para que le limpiara la nieve, y a las quitanieves aún no les habría dado tiempo a llegar allí.

Aparcó su camioneta en el borde del aparcamiento, junto a un Range Rover cubierto de nieve que debía de ser de Ben.

Mientras caminaba hacia la clínica, pensó que tal vez le despertara después de haber pasado la noche vigilando a Luke. Las aceras, sin embargo, sí estaban limpias. A no ser que el veterinario pagara también a alguien para eso, imaginó que Ben se había encargado de quitarla con una pala.

No le sorprendió encontrar la puerta de entrada cerrada con llave, así que se dirigió hacia la puerta lateral que había usado la noche anterior.

Probablemente allí encontraría a Ben Caldwell. Llamó un par de veces a la puerta, pero no respondió nadie. Agarró el picaporte y vio que giraba sin problemas.

Tras debatirse si hacerlo o no, giró el picaporte y entró. Abrió la boca para saludar, pero se quedó sin palabras y sin aire en los pulmones al ver al nuevo veterinario saliendo del vestuario vestido solo con unos vaqueros y secándose el pelo con una toalla.

Tenía el torso ancho y definido con músculos sólidos, con un hilillo de vello que descendía por su abdomen y desaparecía bajo la cinturilla de sus Levi's, cuyo último botón aún no se había abrochado.

Caidy sintió un cosquilleo en los dedos de los pies, el corazón se le aceleró y deseó quedarse allí de pie mirando durante los próximos años.

Él siguió secándose el pelo, ajeno a su presencia, flexionando los bíceps con cada movimiento, y ella se olvidó por completo de la razón de su visita. De pronto el veterinario dejó caer la toalla y la vio allí de pie.

Se le dilataron las pupilas y, por un momento, le

devolvió la mirada. La tensión se palpaba entre ellos. A Caidy le dio un vuelco el estómago y todos sus pensamientos se esfumaron.

Finalmente él se aclaró la garganta.

—Ah. Hola. No te he oído entrar.

—Perdón. He llamado, después he visto que la puerta estaba abierta y… aquí estoy. Puedo… irme y volver… más tarde.

—¿Por qué? —el doctor Caldwell agarró una camiseta limpia y ella no pudo apartar la mirada mientras se la ponía, concentrada como estaba en el hilillo de vello que recorría su abdomen.

A pesar de la toalla, seguía con el pelo húmedo. Intentó alisárselo, pero acabó teniéndolo más revuelto, lo que le daba un aire más sexy.

—No debería haber venido tan pronto. Es que… estaba preocupada por cómo habría pasado la noche.

Él se encogió de hombros, aunque a Caidy le pareció ver cierto brillo en las profundidades de sus ojos azules.

—No demasiado mal. Luke ha pasado casi toda la noche durmiendo. Creo que pronto estará listo para pasear.

—Puedo sacarlo yo, si cree que está preparado.

—Dimos una vuelta durante la noche. Parecía estar bien. Volvamos a intentarlo.

Caidy se acercó a la caja donde se encontraba Luke. Como si hubiera notado su presencia, el perro abrió los ojos e intentó agitar el rabo, cosa que estuvo a punto de romperle el corazón.

—Shh. Tranquilo. Tranquilo. Ese es mi chico. ¿Cómo está mi chico favorito?

El perro volvió a agitar el rabo e intentó incorporarse, pero se dejó caer de nuevo con un gemido.

—Ya le toca tomarse el analgésico. Pensaba intentar colarle una pastilla en la mantequilla de cacahuete.

Caidy abrió la puerta de la caja y le acarició la barbilla.

—Espero que no hayas tenido al doctor Caldwell despierto toda la noche.

—No ha estado mal —Ben no se había afeitado todavía y la barba incipiente de su mandíbula le daba un aspecto salvaje de chico malo. Probablemente no le gustara que se lo dijera, y desde luego no estaría interesado en saber de su atracción por él—. Hemos tenido algunos momentos complicados. A decir verdad, no estaba del todo convencido de que fuese a superarlo. Es un tipo duro.

—Ayuda tener un buen veterinario —dijo ella.

—A veces ni siquiera las mejores habilidades como veterinario son suficientes. Supongo que lo sabrás, siendo una amante de los animales.

Esa era su gran preocupación con Sadie. Su vieja border collie tenía trece años. Eso era mucho. Por mucho que la quisiera, Caidy sabía que no estaría allí para siempre.

—Luke parece estar más alerta. Eso es buena señal, ¿no?

Se acercó a ella para acariciar también al perro. Sus dedos se tocaron accidentalmente y Caidy advirtió la rapidez con la que apartaba las manos.

—Puedes llamarlo Lucky Luke.

—Mi hermano y su familia ya tienen un perro llamado Lucky Lou —dijo ella con una sonrisa—. Sobrevivió a un atropello.

—¿Tu hermano?

—No, aunque a muchas mujeres resentidas de Pine Gulch les habría encantado arrollarlo con su coche.

Pero me refiero a Lou. Era un perro perdido, un beagle que deambulaba cerca de nuestro rancho. Yo estaba intentando atraerlo para poder encontrar a su dueño, pero era muy asustadizo. Y una tarde no se apartó con suficiente rapidez y fue atropellado. Ahora está bien y los hijos de Taft le malcrían.

Hijastros, en realidad, pero Maya y Alex pronto habían sido absorbidos por el clan Bowman.

—Bueno, puedes añadir este a tu colección de cachorros con suerte.

—¿Cuándo puedo llevármelo a casa?

—Tal vez más tarde, siempre que siga estable.

—Eso sería fantástico. Gracias por todo.

—Es mi trabajo —respondió él encogiéndose de hombros.

—Anoche hablé con Ridge. Dice que su familia y usted pueden mudarse a la casa del capataz hasta que la otra casa esté terminada.

—¿De verdad? —preguntó él con expresión de agrado y alivio—. Eso haría que las Navidades fueran mucho más cómodas.

—Tal vez quiera pasarse por el rancho a echar un vistazo antes de aceptar. Lo tenemos bien cuidado, pero tampoco le vendría mal alguna reforma.

—Dijiste que tenía tres dormitorios, ¿no?

—Sí. Y Ridge sugirió que pensáramos en algo para intercambiar el alquiler por sus servicios como veterinario, si le parece bien. Aun así probablemente seguiré debiéndole mi primer hijo, pero tal vez no el segundo.

Ben sonrió; no fue una sonrisa enorme, pero sí auténtica. El estómago volvió a darle un vuelco y Caidy recordó el momento en que había entrado en la clínica y lo había encontrado medio desnudo.

¿Qué diablos le había sucedido? Nunca reaccionaba así a los hombres. Tenía citas de vez en cuando. No era una auténtica ermitaña, como parecían creer sus hermanos. Disfrutaba de alguna cena o alguna película, pero normalmente se esforzaba porque todo fuera divertido e informal. Las pocas veces en las que un chico había intentado algo más, a ella le había entrado el pánico, se había sentido presionada y había hecho todo lo posible por desalentarlo.

No recordaba haber tenido nunca una reacción tan poderosa e inmediata hacia un hombre. No estaba acostumbrada a esa sensación de vértigo.

—No creo que haya problema —dijo él—. Si tiene tres dormitorios y una cocina medio decente para la señora Michaels, lo demás me importa poco.

—Por lo que sabe, podría ser una pocilga. Le sorprendería saber las condiciones en las que algunos rancheros obligan a vivir a sus trabajadores.

—Me gustaría creer que no lo habrías sugerido si no pensaras que podría estar bien para mi familia.

—Eso es muy confiado por su parte. No sabe nada sobre mí. Podría tener por costumbre estafar a los recién llegados el dinero de su alquiler.

—Dado que estamos hablando de intercambiar mis servicios por el alquiler, no creo que eso sea un problema, ¿no crees? Pero, si insistes, supongo que podría pasarme por tu rancho luego, cuando Joni venga a darme el relevo. Viene sobre las diez.

—Podría estar bien. Supongo que me dará tiempo a llegar y esconder todas las ratoneras y las trampas para cucarachas.

En esa ocasión Ben se rio abiertamente, como ella había pretendido. Fue un sonido potente que recorrió su columna con un escalofrío.

Aquello era un gran error. ¿Por qué habría abierto su bocaza para ofrecerle la casa? Lo último que necesitaba en el rancho era un hombre atractivo de torso sexy y con una risa deliciosa.

—¿Le ayudo a sacar a Luke antes de irme?

—No. Puedo solo.

—Entonces, le veré en un rato, ¿de acuerdo? —preguntó ella mientras le acariciaba la cabeza al perro una vez más—. Tienes que quedarte aquí un poco más y después podrás irte a casa.

—Sabes que probablemente no podrá volver a ser un perro de trabajo. He juntado sus huesos lo mejor que he podido, pero nunca será lo suficientemente fuerte o rápido para hacer lo que hacía antes.

—En el rancho no somos tan crueles como para obligarles a hacer piruetas a cambio de la cena, doctor Caldwell. Le encontraremos un lugar en el River Bow, pueda trabajar con el ganado o no. Tenemos otros muchos animales que viven una jubilación muy placentera.

—Me alegra oírlo —respondió él.

—Gracias de nuevo por todo. Supongo que le veré más tarde.

Caidy se dirigió hacia la puerta, pero él se le adelantó y se la abrió, lo que no le dejó más opción que pasar junto a él al salir. Ignoró el escalofrío, igual que había ignorado los otros.

Se dijo a sí misma que podría hacerlo. Solo serían unas semanas y probablemente viera más a los niños y al ama de llaves que al propio Ben, sobre todo si trabajaba tantas horas.

Capítulo 4

PERO a mí me gusta estar en el hotel. Podemos jugar con Alex y con Maya, y siempre hay alguien que nos hace el desayuno. Es como Eloise en el Plaza.

Ben tragó saliva para no reírse, porque a su hija no le haría gracia.

Aun así, por muy encantador que fuese el hotel Cold Creek, no se parecía en nada al gran hotel de Nueva York que aparecía en los libros que tanto le gustaban a Ava.

—Ha sido divertido —admitió él—, ¿pero no te gustaría tener un poco más de espacio para jugar?

—¿En medio de ninguna parte con un puñado de vacas y de caballos? No. La verdad es que no.

Ben suspiró ante la actitud condescendiente de Ava. Sabía de dónde le venía: de sus abuelos maternos.

A Ava no le gustaba separarse de los padres de su

difunta esposa. Quería a los Marshall e intentaba pasar con ellos todo el tiempo que podía. Durante los dos últimos años, desde la muerte de Brooke, Robert y Janet le habían llenado a Ava la cabeza de quejas sutiles y de insinuaciones para debilitar la relación con su padre.

Los Marshall no querían otra cosa que quedarse con la custodia de sus hijos, fuera como fuese.

Gran parte era culpa suya. Tras la muerte de Brooke, se había quedado demasiado consumido por la pena como para darse cuenta de las fisuras que estaban creando en su relación con sus hijos. Había empezado a darse cuenta hacía seis meses. Después de quedarse a dormir con los abuelos, Jack se había negado a darle un abrazo.

Había tardado varios días, pero al final el niño había confesado entre lágrimas que la abuela Marshall le había dicho que él mataba perros y gatos que nadie quería; una acusación completamente injusta porque, en esa época, él trabajaba en un refugio en el que no sacrificaban animales.

Desde entonces había querido distanciarse, pero los Marshall no cejaban en su empeño de separarlos, e incluso habían recurrido a los tribunales para pedir el derecho a ver a sus nietos con regularidad.

Ben sabía que no podría mantenerlos separados para siempre, pero había decidido que su prioridad debía ser reforzar el vínculo con sus hijos. Al final la única solución había sido instalarse en otra parte para que el contacto entre ellos resultase más difícil.

—Solo serán unas pocas semanas, hasta que nuestra casa esté terminada —le dijo a Ava—. ¿No echas de menos las deliciosas cenas de la señora Michaels?

—Yo sí —opinó Jack desde su asiento, junto a su hermana—. Me encantan sus macarrones con queso.

A Ben se le hizo la boca agua al pensar en la cebolla caramelizada que el ama de llaves esparcía sobre los macarrones con queso.

—Si nos mudamos a esta nueva casa, será lo primero que le pida que haga —le prometió a su hijo, que le recompensó con una enorme sonrisa.

—No ha estado tan mal salir a cenar a la cafetería o calentar cosas en el microondas de la habitación —insistió Ava—. A mí no me ha importado en absoluto.

—¿Y qué me dices de la Navidad? ¿De verdad quieres pasar la Nochebuena en el hotel, donde no tenemos ni siquiera árbol?

Su hija no respondió de inmediato, y era evidente que estaba intentando pensar en algo con lo que contraatacar. Él siguió hablando antes de que le diese tiempo.

—Vamos a probarlo. Si lo odiamos, podremos pasar las fiestas en el hotel. Con suerte, nuestra nueva casa estará lista a principios de enero.

—¿Tendré que ir en autobús a la escuela la última semana de clases antes de las vacaciones de Navidad?

Ben no había pensado en eso. Suponía que debería haber tenido en cuenta la logística antes de considerar esa opción—.

—Puedes hacerlo si quieres. O podemos intentar cuadrar nuestros horarios para que pueda llevaros a clase de camino a la clínica.

—Yo no quiero ir en autobús. Seguro que es asqueroso.

Ese era otro de los regalos de los padres de su difunta esposa. Janet Marshall había hecho lo posible por convertir a su hija en una paranoica con fobia a los gérmenes.

—Siempre puedes usar jabón antiséptico.

Ava frunció el ceño, pero no tuvo respuesta para eso. Por suerte, dejó pasar el tema y se limitó a quedarse callada y con mala cara. Ben tenía la impresión de que su hija iba a volverle loco antes de que terminase la pubertad.

Poco tiempo más tarde, se desvió por una carretera secundaria con un arco de madera encima en el que se leía *Rancho River Bow*. A los lados de la carretera había pinos y álamos. Aunque la carretera estaba despejada de nieve, agradecía la tracción a las cuatro ruedas de su coche a medida que avanzaba colina arriba hacia el edificio principal del rancho, que ya podía ver a lo lejos.

No lejos de la casa, el camino se bifurcaba. Entonces vio una casa de madera más pequeña con dos pequeños aleros sobre el porche de la entrada.

No pudo evitar pensar que parecía algo sacado de una de las felicitaciones navideñas que había recibido la clínica; una encantadora casita rodeada de pinos cubiertos de nieve.

—¿Podremos montar a caballo mientras estemos aquí? —preguntó Jack al ver a los seis o siete caballos que se encontraban en la nieve comiendo alfalfa.

—Probablemente no. Solo vamos a alquilar la casa, no el rancho entero.

Ava también miró por la ventanilla hacia los caballos, y Ben se dio cuenta del súbito brillo en su mirada. A su hija le encantaban los caballos, como a casi todas las niñas de nueve años.

Pero ni siquiera eso fue suficiente.

—Has dicho que solo íbamos a echarle un vistazo y que, si no nos gustaba, no tendríamos que quedarnos —dijo con tono de reproche.

—Sí. Es lo que he dicho.

—A mí me gusta —comentó Jack—. Tienen perros, caballos y vacas.

Un par de collies muy parecidos al que se encontraba descansando en su clínica en esos instantes los miraron desde el porche de la casa principal cuando aparcó enfrente.

En ese momento se abrió la puerta y apareció Caidy Bowman, que bajó los escalones del porche mientras se ponía un abrigo.

Llevaba el pelo recogido en una trenza que le caía por la espalda, y en lo alto de la cabeza un sombrero vaquero. Parecía dulce y sencilla, pero él sabía que la realidad de Caidy Bowman era más complicada de lo que dejaba ver su apariencia.

Abrió su puerta y salió del coche al verla acercarse al vehículo.

—La casa es por allí —dijo ella señalando hacia la pequeña casita entre los árboles—. ¿Por qué no se acerca más con el coche para no tener que ir atravesando la nieve? Ridge ha quitado la nieve esta mañana con el tractor, así que no debería tener ningún problema. Yo le veré allí.

—¿Por qué? —preguntó él, rodeó el coche y abrió la puerta del copiloto—. Entra. Podemos ir juntos.

Por alguna razón, Caidy no parecía convencida con la idea, pero, tras una breve pausa, se acercó a él y entró en el coche. Ben cerró la puerta tras ella antes de que pudiera cambiar de opinión.

Lo primero que notó al ponerse de nuevo tras el volante fue su aroma, que inundaba el interior. Aunque era un día frío y nublado de diciembre, su coche de pronto empezó a oler a vainilla y a flores silvestres.

Sintió un deseo completamente inapropiado de in-

halar ese aroma hasta el fondo, de quedarse allí sentado, con sus hijos en el asiento de atrás, y saborear, sin
más, la dulzura.

«Contrólate, Caldwell», se dijo a sí mismo. Olía
bien, ¿y qué? Podría ir a cualquier perfumería del pueblo y probablemente experimentaría la misma sensación.

Aun así, de pronto se alegró de que su casa fuese a
estar lista en cuestión de semanas. Si pasaba allí mucho tiempo más, sospechaba que acabaría sintiendo
algo serio por aquella mujer puntillosa que olía a jardín salvaje.

—Bienvenidos al rancho River Bow.

Estuvo a punto de darle las gracias antes de darse
cuenta de que Caidy estaba dirigiéndose a los niños.
Sonreía con sinceridad y su rostro iluminó el coche
como un rayo de sol en un día nublado.

—¿Podré montar en uno de sus caballos alguna
vez?

—Jack —le dijo Ben, pero Caidy se rio.

—Creo que puede arreglarse. Tenemos algunos
que son muy tranquilos con los niños. Mi favorito es
el viejo Pete. Es el caballo más simpático que te puedas imaginar.

—Apuesto a que puedo montar muy bien un caballo —contestó Jack con una sonrisa—. Tengo botas y
todo.

—Eres un idiota. El hecho de que tengas botas no
te convierte en vaquero —murmuró Ava con un reso-
plido de impaciencia.

—¿Qué me dices tú, Ava? ¿Te gustan los caballos?

—Supongo —murmuró su hija.

—Pues has venido al lugar adecuado. Seguro que a
mi sobrina Destry le encantaría llevarte a montar.

—¿Destry, la del colegio? —preguntó Ava con súbito entusiasmo—. ¿Es tu sobrina?

—Eso parece —respondió Caidy—. No hay muchas Destrys por aquí. ¿La conoces?

Ava asintió.

—Es un par de años mayor que yo, pero, en mi primer día, la señora Dalton, la directora, le pidió que me enseñara el colegio. Fue muy simpática conmigo y sigue saludándome cuando me ve por los pasillos.

—Me alegra oír eso. Será mejor que sea simpática. Si no, dímelo a mí y hablaré con ella. Ya hemos llegado —agregó cuando Ben aparcó frente a la casa—. Encendí antes la calefacción, cuando vine a limpiar un poco. Quería que os resultase acogedora.

—Entonces ¿has quitado todas las ratoneras? —preguntó él.

—¿Ratas? —preguntó Ava horrorizada.

—No hay ratas —le aseguró Caidy de inmediato—. Tenemos demasiados gatos en el rancho. Tu padre estaba bromeando. ¿Verdad?

¿Lo estaba? Hacía mucho tiempo que no bromeaba con nada. Por alguna razón, Caidy Bowman sacaba una parte olvidada de él.

—Sí, Ava. Estaba bromeando.

A juzgar por la expresión de su hija, esa idea debía de parecerle tan inquietante como la idea de tener roedores gigantes en la cama.

—¿Entramos para que podáis verlo por vosotros mismos? —preguntó Caidy.

—¡Yo quiero ver las ratas! —exclamó Jack.

—No hay ratas —aseguró Ben de nuevo mientras Caidy abría la puerta de la casa. No estaba cerrada con llave; algo muy diferente a su vida en California, donde todos vivían obsesionados con la seguridad.

Nada más entrar, les envolvió el olor a pino.

—¡Mirad! —exclamó Jack—. ¡Un árbol de Navidad! ¡Uno de verdad para nosotros!

En efecto, en un rincón había un enorme abeto, tan alto como él, cubierto de luces multicolores.

Ben se quedó mirándolo, sorprendido y seguro de que el árbol no estaba ahí hacía unas horas. Caidy había dicho que la casa estaba vacía, de modo que se las habría apañado para llevar el árbol hasta allí y decorarlo en las últimas horas.

Había hecho todo aquello por ellos. Él no sabía qué decir.

—No tenías por qué hacerlo —le dijo.

—No es gran cosa —respondió ella, aunque a Ben le pareció ver que se le sonrojaban ligeramente las mejillas—. Mis hermanos se han vuelto un poco locos con los árboles de Navidad. Cortamos el nuestro en las montañas que hay detrás del rancho después de Acción de Gracias, y este año han cortado algunos más para dárselos a la gente que pudiera necesitarlos. Nos sobraba este.

—¿Y las luces?

—Teníamos algunas de sobra. Me temo que este es un poco flacucho, pero con guirnaldas de papel y algunos adornos se solucionará enseguida. Seguro que vuestro padre y la señora Michaels pueden ayudaros a hacerlos —les dijo ella a Ava y a Jack. Como Ben sospechaba, Jack pareció entusiasmado con la idea, mientras que Ava simplemente se encogió de hombros.

Él no sabía nada sobre cómo hacer adornos para el árbol de Navidad. Brooke siempre se encargaba de las decoraciones, y su ama de llaves se había hecho cargo del asunto tras su muerte.

—Vamos. Os enseñaré la casa. No es gran cosa,

como podéis ver. Simplemente esta habitación, la cocina y el comedor. Y arriba los dormitorios.

El salón estaba amueblado con un sofá de color borgoña y dos sillones reclinables de cuero. La televisión era antigua, pero bastante grande.

En una de las paredes había una chimenea de piedra con una repisa de madera. La chimenea estaba vacía, pero alguien, probablemente Caidy, había apilado varios leños en un cubo que había al lado. Ben se imaginó lo acogedor que resultaría el lugar con el fuego encendido, las luces del árbol de Navidad y un partido de baloncesto en la televisión. Ni siquiera tendría que molestarse en bajar el volumen para no despertar a Jack.

—Por aquí está la cocina y el comedor —dijo Caidy.

Los electrodomésticos parecían algo antiguos, pero en buenas condiciones. El frigorífico incluso tenía máquina de hielo, algo que había echado en falta en el hotel.

—Hay un aseo, y el cuarto de la lavandería está al otro lado de esas puertas. Es bastante básico. ¿Queréis ver el piso de arriba?

Él asintió y la siguió escaleras arriba, intentando no fijarse en como los vaqueros se pegaban a sus curvas.

—Tenemos camas de matrimonio en dos de las habitaciones, y literas en esa de la izquierda. A los niños no les importará compartir, ¿no?

—¡Quiero ver! —exclamó Jack, y entró corriendo en la habitación. Ava le siguió más lentamente, pero incluso ella parecía sentir curiosidad.

—Hay un cuarto de baño pequeño en la habitación principal y otro en el pasillo, entre los otros dormitorios. Y eso es todo. No es mucho. ¿Será suficiente?

—¡A mí me gusta! —declaró Jack—. Pero solo si puedo quedarme con la litera de arriba.

—¿A ti qué te parece, Ava?

Ella se encogió de hombros.

—No está mal. Sigue gustándome más el hotel, pero sería divertido vivir cerca de Destry e ir con ella en el autobús. Y con la litera de arriba me quedo yo. Soy la mayor.

—Ya lo solucionaremos —dijo Ben—. Creo que es más o menos unánime. Creo que está genial. Es cómoda y espaciosa, y no está lejos de la clínica. Agradezco el ofrecimiento.

Caidy sonrió, pero le pareció un poco forzada.

—Genial. Podéis mudaros cuando queráis. Hoy, si os parece bien. Solo necesitáis vuestras maletas.

—En ese caso, podemos volver al hotel, hacer las maletas y regresar esta tarde. A la señora Michaels le encantará.

—Me parece bien.

—¿Podemos decorar el árbol esta noche? —preguntó Jack.

—Sí —contestó Ben acariciándole la cabeza a su hijo—. Probablemente podamos. Compraremos los materiales en el pueblo.

Incluso Ava parecía algo entusiasmada con la idea mientras salían de la casa.

—Oh, por el amor de Dios —dijo Caidy de pronto—. ¿Qué estás haciendo aquí, perra loca? Quieres hacer nuevos amigos, ¿verdad?

Le hablaba a una collie de aspecto mayor, con pelo gris y ojos cansados, que estaba sentada al pie de los escalones del porche. Caidy se arrodilló, sin importarle la nieve, y acarició al animal.

—Esta es Sadie. Es mi mejor amiga.

—Hola, Sadie —dijo Ava con una sonrisa.

Jack, sin embargo, se escondió detrás de Ben. Su hijo se ponía nervioso con cualquier perro que fuese más grande que un pequinés.

—Es muy mayor. Trece años. La trajimos cuando yo era adolescente. Sadie y yo hemos pasado muchas cosas juntas.

—Sadie y Caidy. Eso rima —dijo Ava inesperadamente.

—Lo sé. De pequeños, mis hermanos llamaban al perro y yo pensaba que me llamaban a mí. O me llamaban a mí y Sadie venía corriendo. Era todo muy confuso, pero ya estamos acostumbradas después de todos estos años. Aunque yo no le puse el nombre; el ranchero que se la dio a mis padres ya le había puesto nombre. Para entonces ya estaba acostumbrada a él, así que decidimos no cambiárselo.

Ben vio algo de tristeza en sus ojos y se preguntó cuál sería la causa.

—¿Sabéis que fue un regalo de Navidad cuando cumplí catorce años? Poco mayor que tú, Ava.

Su hija pareció entusiasmada porque alguien considerase que estaba más cerca de los catorce que de los nueve, y de pronto se dio cuenta de que Caidy lo había dicho a propósito.

—Yo llevaba meses rogando y rogando para tener un perro que fuera mío —continuó ella—. Siempre teníamos perros en el rancho, pero mis hermanos trabajaban con ellos. Yo quería uno al que pudiera entrenar yo misma. Me puse muy contenta aquella mañana cuando la encontré bajo el árbol. Estaba tan adorable con un lazo rojo alrededor del cuello.

Ben entendía perfectamente su sensación. Cuando era pequeño, había rogado para tener un perro año tras año desde que cumplió los ocho. Todos los años albergaba la esperanza de encontrar un cachorro bajo el árbol, y todos los años se llevaba una decepción.

Abrió la puerta del coche.

—Ava, puedes sentarte en medio junto a Jack para dejar sitio a Sadie.

—Oh, no. No es necesario. Probablemente esté mojada y huela mal. Podemos ir andando. No está tan lejos.

—Si hay algo que no nos molesta en esta familia, son los perros mojados y malolientes, ¿verdad? Verás cuando traigamos a Tri para que se revuelque por la nieve.

Sus hijos se rieron, incluida Ava, lo cual le hizo sentirse satisfecho.

Desvió la atención de los niños y vio que Caidy estaba observándolo, con la mano en el cogote de la perra y una expresión como pasmada. Volvió a sentir el contacto de antes, cuando había salido de la ducha y la había encontrado en la clínica.

El momento pareció alargarse y él se sintió incapaz de apartar la mirada mientras Jack y Ava se montaban en el coche.

Finalmente Caidy se aclaró la garganta.

—Gracias de todos modos, pero aún no estoy lista para irme. Tengo que limpiar el polvo de las dos habitaciones de invitados.

Aquello no iba a funcionar. No deseaba aquella atracción tan repentina. No deseaba sentir el calor en la tripa y el bullir de la sangre.

Pensó en decirle que había cambiado de opinión, pero aquello sonaría ridículo.

Además, después de haber visto la casa, no quería volver al hotel. Tendría que esforzarse por mantenerse alejado de ella.

—A mí me ha parecido que estaba bien. Podemos limpiar nosotros —le dijo—. No tienes por qué hacerlo.

—Los Bowman somos una familia muy orgullosa. Aunque no solamos alquilar habitaciones por norma general, no pienso dejar que os alojéis en una casa sucia.

Ben decidió no discutir.

—Iré a ver a Luke cuando lleguemos al pueblo. Si creo que está lo suficientemente estable para estar aquí, lo traeré de vuelta cuando regresemos.

Caidy sonrió con agradecimiento y él volvió a sentir aquella atracción hacia ella.

—¡Gracias! Nos encantaría, ¿verdad, Sadie?

La perra le olisqueó la mano y pareció sonreír también.

—Luke es su bisnieto —les explicó a los niños—. Supongo que os veré a todos después. Me alegra que os haya gustado la casa.

En lo referente a la situación, la casa era perfecta. En lo referente a la vecina, no estaba tan seguro.

Mientras se alejaba con el coche, miró por el espejo retrovisor. Caidy Bowman estaba mirando hacia el pálido sol de invierno que asomaba entre las nubes y tenía una mano en la cabeza de la perra.

Por alguna ridícula razón, Ben sintió un nudo en la garganta al verla y le costó trabajo apartar la mirada.

Capítulo 5

DURANTE las horas siguientes, Caidy no pudo quitarse de encima una mezcla de temor y anticipación. Ofrecerles a Ben y a su familia un lugar donde pasar las fiestas había sido un gesto amable de buena vecina. Agradecía que esos niños pudiesen escabullirse escaleras abajo la mañana de Navidad para ver sus regalos bajo el árbol y que la señora Michaels pudiera prepararles una cena en condiciones y no calentar algo en el microondas.

Aun así, tenía la extraña sensación de que la vida en el rancho estaba a punto de cambiar, tal vez irrevocablemente. Solo sería durante unas pocas semanas, se dijo a sí misma mientras terminaba de limpiar los establos con Destry. Sadie estaba tumbada sobre la paja, contemplándolas. Podría enfrentarse a cualquier cosa durante unas semanas. Aun así, no lograba despojarse de esa extraña sensación de inquietud mientras realizaba sus tareas del sábado.

—Señoritas, ¿necesitáis que os eche una mano?

Destry le dedicó una sonrisa a su padre, pues le encantaba que le llamase «señorita».

—Ya que ahora contamos con tus músculos, ¿por qué no nos traes un par de fardos de paja? Quiero ponerles un poco más a las yeguas preñadas.

—Encantado. Des, ven a echarle una mano a tu viejo.

Ambos se marcharon riéndose por algo que había dicho Destry como respuesta, y Caidy volvió a sentir que le invadía la depresión.

En realidad su hermano ya no necesitaba que le ayudara con Destry. Ella había estado encantada de ofrecerle ayuda cuando la niña era pequeña y Ridge estaba pasándolo mal. Había estado más que encantada. Aliviada, más bien, por tener algo que hacer con su tiempo, algo que pensaba que podía hacer.

Destry ya era una jovencita y Ridge era un padre excelente que podría enfrentarse a las cosas solo.

Caidy apoyó la mejilla en el mango de la pala y se quedó mirando a Sadie. No la necesitaban. Nadie la necesitaba. Suspiró cuando Ridge regresó solo con un fardo en cada hombro.

—Eso suena serio. ¿Qué sucede? ¿Te estás arrepintiendo de haberle dicho al veterinario que se mudara aquí?

Ella se encogió de hombros, agarró un rastrillo y comenzó a extender la paja.

—¿Por qué iba a arrepentirme? Necesitaba un lugar donde quedarse durante unas semanas y nosotros tenemos una casa vacía y amueblada.

—A Destry le encantará tener a otros niños en el rancho, sobre todo en Navidad.

—¿Dónde está?

Su hermano agarró el otro rastrillo para ayudarla.

—Se ha distraído con los nuevos gatitos del granero. Está con ellos arriba.

—Me temo que no somos buena compañía para ella en esta época del año, ¿verdad? Las cosas mejorarán en enero.

—Ya sabes lo mucho que le gustaba a mamá la Navidad. No querría pensar que has dejado que su muerte y la de papá arruinarán las fiestas para siempre.

—Lo sé —ya habían tenido esa conversación muchas veces, pero en ese momento ella no estaba de humor—. No hagas que parezca que soy yo la única. Tú también odias la Navidad.

—Sí, bueno. Creo que es hora de que sigamos con nuestras vidas. Taft y Trace lo han hecho.

«Tú no estabas allí», quiso gritar. Ninguno de sus hermanos estaba allí. Era ella la que había estado escondida bajo la estantería de la despensa, escuchando a su madre morir y sabiendo que no podía hacer nada al respecto.

«No estabas allí y no fuiste el responsable».

No podía decirle eso. Nunca podría. Así que siguió extendiendo paja.

—Creo que es hora de que vuelvas a estudiar.

—Tengo veintisiete años, Ridge. Creo que mis años de estudio ya han pasado.

—No tiene por qué ser así —contestó su hermano con el ceño fruncido—. Mucha gente termina la universidad cuando son mayores que la media de estudiantes. A veces una persona tarda años en averiguar qué quiere en la vida.

—¿Y yo lo he averiguado ya? —murmuró ella.

—No lo harás mientras sigas encerrada aquí. No

debería haberte dejado volver a casa después de tu primer año de universidad. Debería haberte obligado a seguir. Créeme, me he arrepentido mucho, más de lo que imaginas. La verdad es que, después de que Melinda se fuera, necesitaba que me ayudaras con Destry. Estaba perdido, intentando llevar el rancho y cuidar de ella al mismo tiempo. La verdad es que elegí el camino fácil en vez del correcto.

—No elegiste nada. Fui yo. Yo quería volver a casa. Lo habría dejado igual aunque no me hubieras necesitado.

—No si yo no te hubiera facilitado tanto las cosas.

Caidy no sabía si sus hermanos la culpaban por los asesinatos de sus padres. Ella siempre había tenido miedo de preguntar y ellos nunca habían hablado del tema.

¿Cómo podrían no culparla en cierto modo? Ni sus padres ni ella deberían haber estado en casa aquella noche. Esa era la razón por la que un simple robo había acabado siendo un doble asesinato cuando su padre había intentado detener a los ladrones.

Caidy habría muerto con ellos si su madre no la hubiera empujado hacia la despensa y le hubiera ordenado que se escondiera.

A veces sentía que llevaba desde entonces escondida allí.

—Tú deberías ser la nueva veterinaria del pueblo, y no un recién llegado de la costa oeste —continuó Ridge—. He estado dándole vueltas desde que apareció Caldwell. Siempre quisiste ser veterinaria. Sé que el doctor Harris esperaba que tú siguieras sus pasos. No puedo evitar pensar que, si las cosas hubieran sido diferentes, tú podrías haberte hecho cargo de su clínica.

Esa era la razón de su inquietud. Ben Caldwell estaba viviendo su sueño. Resultaba difícil de admitir, sobre todo porque sabía que no tenía derecho a estar triste.

—Tomé mis decisiones, Ridge. No me arrepiento. Ni por un momento.

—Necesitas una vida propia. Un hogar, una familia. Nunca tienes citas.

—Puede que me vaya con el nuevo veterinario. Entonces, ¿qué harás tú?

En cuanto dijo aquello, deseó haber mantenido la boca cerrada. Otra vez. ¿Qué se le había metido en la cabeza para decir algo así? Ridge arqueó una ceja y se quedó mirándola fijamente.

—Yo me alegraría por ti siempre que sea un buen hombre y te trate bien —respondió su hermano. Antes de que pudiera responder a eso, Destry bajó por las escaleras del granero.

—¡Ya están aquí! Acabo de ver dos coches acercándose.

—Genial —murmuró Caidy intentando sonar contenta.

—¿Crees que traerán a Luke?

—Supongo que ahora lo averiguaremos.

Salieron los tres del establo y vieron como ambos vehículos se acercaban. Ninguno de los coches tomó la bifurcación que conducía hacia la casa del capataz. En su lugar, se dirigieron hacia la casa principal y aparcaron en la entrada.

Ben salió del coche mientras Ridge, Destry y ella se acercaban. El estómago volvió a darle un vuelco. En las últimas horas se había olvidado de lo guapo que era.

Pensó en lo que acababa de decirle a su hermano.

«Puede que me vaya con el nuevo veterinario. Entonces, ¿qué harás tú?».

La verdadera pregunta era dónde estaría ella. Podía imaginarse a sí misma quedando como una idiota con aquel hombre, y debía asegurarse de que eso no sucediera, sobre todo porque no podía encontrar la manera de esquivarlo, teniendo en cuenta que ella se dedicaba a entrenar perros y él era el único veterinario del pueblo.

Ben los saludó a todos y después le ofreció la mano a Ridge.

—Hola. Tú debes de ser el hermano de Caidy.

—Así es. Ridge Bowman. Esta es mi hija, Destry. Supongo que ya conoces a nuestra Caidy. Encantado de conocerte. Bienvenido al rancho River Bow.

—Gracias.

Ambos se estrecharon la mano y después, para sorpresa de Destry, Ben le dio la mano a ella también. La niña sonrió y sus coletas se agitaron bajo su sombrero de vaquera al convertir el apretón de manos en un ejercicio vigoroso.

Ben le dirigió a ella una sonrisa amistosa; más cálida que cualquiera que le hubiera dirigido hasta el momento. Ella se sonrojó y se dio cuenta de que Ridge los miraba con atención. Maldita bocaza la suya. No debería haberle dicho eso en el establo. Conociendo a su hermano, no iba a permitir que se le olvidara nunca.

—De verdad, os agradezco que nos ofrezcáis la casa.

Ridge se encogió de hombros.

—¿Por qué no íbamos a hacerlo? Está vacía. Con el debido respeto hacia mi cuñada, los niños deberían estar en una casa en Navidad.

—Un poco más de espacio para respirar hará que

las fiestas sean más agradables para todos nosotros —respondió Ben—. Tengo también a alguien más que está ansioso por estar en el River Bow.

Se dirigió hacia la parte trasera del coche y abrió la portezuela.

—¿Crees que Luke está listo para volver a casa? —preguntó Caidy.

—Así debería ser. Esta tarde se movía solo y parecía más a gusto. Es un luchador. Aun así tendrás que vigilarlo, pero no hay razón por la que no pueda estar en casa. Eso te ahorrará algo de dinero en la factura de la clínica.

Se juntaron todos en la parte trasera del coche. Luke estaba descansando en su cajetín. Cuando la vio, gimoteó. Ben abrió la puerta y las uñas del animal resbalaron sobre la base de plástico de la caja cuando intentó levantarse.

—Tranquilo —dijo Ben, y su voz pausada hizo que Luke obedeciera y volviera a tumbarse.

—Hola, Luke, amigo —dijo Destry acariciando al perro con la mejilla y rascándole debajo de las orejas—. Pobrecito. Mira qué venda lleva.

—Hola, Destry. Siento que tu perro esté herido.

Destry sonrió al mirar al asiento de atrás, desde donde Ava y Jack observaban la conversación con atención.

—Yo también. Pero en realidad no es mi perro. Es uno de los de mi tía Caidy. A mí lo que más me gusta son los gatos.

—A mí también me gustan los gatos —dijo Ava.

—A mí no —respondió Jack—. Me gustan los perros. Este es nuestro perro. Se llama Tri.

El perro soltó un ladridito al oír su nombre y Caidy sonrió al verlo. Era una clase de chihuahua.

—¿Puede caminar? —preguntó Ridge mientras examinaba a Luke.

—Sí que puede —confirmó Ben—, pero ahora tardará un poco en estar cómodo. Será mejor que le dejemos tomárselo con calma. ¿Te importa ayudarme a llevarlo dentro?

—No hay problema —dijo Ridge. Ambos se llevaron la caja con Luke dentro. Caidy se preguntó si debía quedarse con los niños y llevarlos dentro. Antes de que pudiera tomar una decisión, la señora Michaels se acercó a ellos, procedente del otro coche.

—Probablemente quieras ir a ayudar a tu perro a instalarse, ¿verdad?

—Sí —se apresuró a responder ella—. ¿Por qué no entráis todos?

—Creo que es mejor que nos quedemos aquí. Seguro que el doctor Caldwell no tarda mucho y los niños están ansiosos por empezar a instalarse en la casa.

Siguió las voces de los hombres y los encontró en la cocina, dejando la caja en una zona que ella había habilitado antes.

—A Caidy le gusta tener a sus pacientes en la cocina —estaba diciendo Ridge—. De este modo, su dormitorio, que está al final del pasillo, está lo suficientemente cerca para tenerlos vigilados.

—Está cerca de la puerta de atrás para poder dar paseos. Esa es la parte importante —dijo ella.

—Esto está bien. Me gusta el cercado —dijo él. Años atrás, Caidy había comprado un parque de juegos para bebés que le servía cuando tenía que tratar a un animal cuya actividad física debía ser limitada.

—Vamos, sal —le dijo Ben a Luke. El perro no parecía querer moverse, pero finalmente se levantó muy despacio y salió de la caja. Después se dirigió de inmediato a la cama de mantas que ella había colocado allí.

—¿Qué instrucciones específicas necesito?

—Nuestro mayor miedo ahora mismo es que se infecte. Tenemos que mantener las heridas lo más limpias posibles, sobre todo la perforación del toro.

—No tienes que preocuparte por nada —dijo Ridge—. Caidy es una experta. Antes trabajaba en la clínica con el doctor Harris.

—Eso he oído.

—Debería haber sido veterinaria —continuó su hermano—. Es lo que siempre ha querido hacer.

—¿De verdad? —preguntó Ben, y la miró con curiosidad. Seguramente estuviera preguntándose por qué no había perseguido sus sueños.

—Sí. También quería ser bailarina de ballet cuando tenía ocho años. Y una estrella de cine cuando tenía once.

Y cantante. Decidió no mencionar que en una ocasión había querido cantar de manera profesional. Era otro de los sueños que había dejado a un lado.

—Supongo que estaréis ansiosos por mudaros a la casa. La llave está dentro, en la mesa de la cocina. La información, junto con el número de teléfono de la casa y la dirección, está en un papel que también he dejado ahí.

—Gracias.

—Llamad si tenéis problemas o si no sabéis cómo funcionan los electrodomésticos.

—Creo que no habrá problema. Y mantenme informado si tienes algún problema con Luke. Toma. Voy a darte mi número de móvil.

Sacó una tarjeta del bolsillo de su abrigo y la dejó sobre la encimera.

—Si le da fiebre o tiene algún síntoma extraño que te preocupe, quiero que me llames. A cualquier hora del día o de la noche.

Caidy dudaba que fuese a hacerlo. Incluso después de años trabajando con el doctor Harris, nunca se había sentido cómoda llamándole en mitad de la noche.

—Gracias —respondió ella.

—Será mejor que me vaya. Los niños están ansiosos por empezar a decorar el árbol.

—Oh. Eso me recuerda que Destry y yo hemos estado rebuscando entre nuestras viejas cosas de Navidad y hemos encontrado algunas que no usamos. Podéis quedároslas.

Levantó la caja de la mesa de la cocina y se la entregó. Él pareció algo desconcertado, pero sonrió.

—Gracias. Seguro que los niños y la señora Michaels hacen buen uso de ellas.

—¿Y tú no?

—Creo que me obligarán a ayudarles, quiera o no —parecía más resignado que reticente.

—Si quieres, puedo llevar yo la caja mientras vosotros dos sacáis el cajetín del perro.

—Eso sería fantástico. Gracias —le sonrió y de nuevo Caidy notó ese cosquilleo en el estómago.

—Parece simpático —comentó Ridge después de haber cargado los adornos y el cajetín, mientras los dos coches se alejaban hacia la casa del capataz.

—Supongo —respondió ella.

—Podrías pensar en mostrar un poco más de entusiasmo, si piensas irte con él. Al menos, entusiasmo hacia él. A veces un hombre necesita que le inciten.

Ella puso los ojos en blanco, pero volvió a entrar en casa, antes de que Ridge pudiera ver el rubor de sus mejillas. De pronto tuvo la impresión de que debería esforzarse en actuar de manera desinteresada para evitar que Ridge intentara hacer de casamentero en Navidad.

El cuerpo de una mujer era algo misterioso, lleno de huecos secretos y de curvas suaves y deliciosas.

Ben estaba en el cielo. Deslizaba los dedos sobre la mujer que tenía entre sus brazos, explorando con las manos todos esos placeres ocultos. Deseaba quedarse allí para siempre, con la cara hundida en aquella piel que olía a vainilla y a flores silvestres mojadas por la lluvia.

Su cuerpo estaba duro y lo presionaba contra ella mientras enredaba los dedos en su pelo oscuro y sedoso. Ella sonreía con aquella boca pecadora que disparaba su imaginación, y sus ojos verdes brillaban como el sol. Él soltó un gemido de placer y la besó.

Su boca era tan cálida y agradable como el resto de su cuerpo y, al notar su lengua enredada en la suya, volvió a gemir, le agarró las manos y la besó con todo el deseo que tenía acumulado en su interior.

—Sí, bésame —murmuró ella con aquella voz musical—. Así, Ben. No pares. Por favor, no pares.

Lo único que él deseaba era hundirse en su interior. Se colocó en posición, preparado para hacerlo, pero en ese momento un teléfono sonó junto a su oído.

Se quedó helado… y se despertó del primer sueño erótico que había tenido en mucho tiempo.

Aún podía ver a Caidy Bowman, enredada en su cuerpo, pero, al parpadear, desapareció.

El teléfono volvió a sonar y, cuando miró el reloj, vio que eran las tres de la mañana. Nadie llamaba a esa hora a no ser que fuese una emergencia.

—¿Diga? —preguntó al descolgar.

—No debería haber llamado. Lo siento —oír a Caidy Bowman hablar después de haberla oído en sus sueños resultaba tan desconcertante que por un momento no logró procesar el cambio—. ¿Hola? ¿Estás ahí? —preguntó ella.

—Estoy aquí. Lo siento —sacó las piernas de la cama y alcanzó los vaqueros que había dejado allí la noche anterior—. ¿Qué sucede? ¿Luke?

—Sí. Algo va mal. No habría llamado, pero… Creo que no está bien. Le cuesta respirar. Creí que sería una infección, pero no tiene fiebre ni nada. Le he levantado las vendas, pero parecía todo limpio.

Ben dio un gruñido, encendió la luz de la mesita y se frotó la cara para borrar los últimos recuerdos de ese maldito sueño.

—Dame cinco minutos.

—¿Hay algo que yo pueda hacer para que no tengas que venir aquí?

—Probablemente no. Cinco minutos.

Mientras se ponía una camiseta y la chaqueta, se le pasaron por la cabeza un sinfín de posibilidades, y pocas con un resultado positivo. Le dejó una nota a la señora Michaels y la pegó en su puerta, aunque su ama de llaves ya estuviera acostumbrada a que tuviera que salir en mitad de la noche.

La nieve brillaba ligeramente con la luz de los faros mientras conducía hacia la casa principal del rancho. Vio luz en la cocina y aparcó todo lo cerca que pudo de la puerta lateral. Después corrió hacia allí con su kit de emergencias en la mano.

Ni siquiera tuvo que llamar a la puerta antes de que ella la abriera. Tenía el pelo revuelto y los ojos desencajados por la preocupación.

—Gracias por venir tan deprisa. No quería llamarte, pero no sabía qué otra cosa hacer.

—No pasa nada. Ya estoy aquí. Vamos a ver qué pasa.

Obviamente el perro estaba mal, respiraba deprisa y con dificultad. Tenía las encías y los labios azules, y Ben se apresuró a sacar su máscara de oxígeno antes de ajustársela alrededor de la boca y el hocico.

—Ha empeorado desde que te he llamado. No sé qué hacer.

Le pasó la mano al perro por el pecho y supo de inmediato cuál era el problema. Oyó el silbido de aire en el interior de la cavidad torácica y blasfemó.

—¿Qué sucede?

—Neumotórax traumático. Tiene aire atrapado en la cavidad torácica. Vamos a tener que sacárselo. Tengo dos opciones. Puedo llevarlo a la clínica y hacerle una radiografía primero, o puedo seguir mi instinto. Noto el problema. Puedo intentar extraerle el aire con una aguja y una jeringuilla, lo que le ayudará a respirar. Tú decides.

Caidy hizo una pausa durante unos segundos y después asintió.

—Confío en ti. Si crees que puedes hacerlo aquí, adelante.

Ben buscó en su bolsa los instrumentos que iba a necesitar y después volvió a arrodillarse junto al perro.

—¿Qué puedo hacer yo? —preguntó ella.

—Intenta calmarle lo mejor que puedas y mantenlo sujeto.

Los minutos siguientes fueron como una nebulosa. Supo que ella hablaba con suavidad, notó sus manos fuertes y capaces junto a él mientras sujetaba al perro con firmeza. Escuchó con el estetoscopio hasta lograr aislar el neumotórax. El resto fue rápido y eficiente: limpió la zona, insertó la aguja en el punto justo, extrajo el aire y volvió a escuchar con el estetoscopio.

Aquel era uno de esos tratamientos que era efectivo casi al instante. Incluso milagroso. El perro ya respiraba mejor, más despacio, y había dejado de temblar.

A los pocos segundos, se había calmado considerablemente. Satisfecho, Ben le quitó la máscara de oxígeno y guardó la jeringuilla en el paquete para tirarla después en la clínica.

—¿Ya está? —preguntó Caidy con asombro.

—Debería estar. Aun así tendremos que vigilarlo de cerca. Si quieres, puedo llevármelo otra noche a la clínica para estar seguros.

—No. Yo… ¡Ha sido asombroso!

Lo miraba como si hubiera colgado la luna y las estrellas en el cielo.

—Gracias. Muchas gracias. Estaba muy preocupada.

—Me alegra que estuviera cerca para ayudar.

—Pero siento haberte despertado.

—No importa. Ha merecido la pena.

—¿Hay algo más por lo que deba preocuparme?

—Creo que no. Le hemos limpiado los pulmones. Si vuelve a tener problemas para respirar, tendremos que hacerle una radiografía para ver si pasa algo más. Si no te importa, me gustaría quedarme un poco más para asegurarme de que sigue estable.

—¿Quieres algo de beber? El café tal vez no sea una buena idea a las tres y media de la mañana, si quieres poder dormir un poco cuando hayamos terminado, pero tenemos té y chocolate caliente.

—El chocolate suena bien.

Ben no quería pensar en lo cómodo, casi íntimo, que resultaba estar sentado en aquella cocina mientras la nieve caía suavemente al otro lado de la ventana y la casa de madera crujía a su alrededor. Pocos segundos más tarde, Caidy regresó con dos tazas de chocolate caliente.

—Es instantáneo. Pensé que eso sería más rápido.

—Me parece bien —respondió él—. Es a lo que estoy acostumbrado de todos modos.

Dio un sorbo y casi suspiró de placer al notar la mezcla de chocolate y frambuesa.

—No es un instantáneo cualquiera.

—No —contestó ella con una sonrisa—. Lo compro en una tienda *gourmet* que hay en Jackson Hole. Lo traen de Francia.

Volvió a dar otro sorbo y dejó que los sabores se mezclaran en su lengua. Merecía la pena interrumpir una noche de sueño con tal de probar aquel chocolate.

Ella se sentó a la mesa frente a él, y Ben no pudo evitar fijarse en como el cuello amplio de su camiseta se abría ligeramente con cada respiración.

—¿Qué tal la casa?

—Bien, de momento. Claro, que aún no he podido dormir una noche entera en ella.

—Lo siento mucho, sobre todo teniendo en cuenta que anoche tuviste que quedarte toda la noche con Luke.

Él se encogió de hombros.

—No lo sientas. No quería decir eso. Es parte de mi vida, algo a lo que estoy acostumbrado. Suelen llamarme con frecuencia en mitad de la noche para emergencias.

Incluso sin las interrupciones relacionadas con el trabajo, normalmente dormía mal.

—La casa está bien. Los niños están encantados de tener más espacio y la señora Michaels está entusiasmada por tener una cocina de nuevo. Para cenar ha preparado sus famosos macarrones con queso. Tendrás que probarlos alguna vez. Están tan buenos como tu chocolate caliente. He de admitir que echaba de menos sus platos.

—Debes de sentirte muy afortunado porque estuviera dispuesta a venir contigo desde California.

—Ni te imaginas lo afortunado que me siento. Estaría totalmente perdido sin ella. Desde que murió Brooke, mi esposa, Anne nos ha ayudado mucho.

—De todos los lugares en los que podrías haber comprado una clínica, ¿por qué escogiste Pine Gulch?

—El doctor Harris y yo nos conocíamos desde antes de que yo me graduara en la Facultad de Veterinaria. Nos conocimos en una conferencia y hemos mantenido el contacto por correo electrónico. Cuando me dijo que se jubilaba y que quería vender su clínica, me pareció la oportunidad perfecta. Tenía… razones para querer irme de California.

Caidy no le presionó, aunque vio la curiosidad en sus ojos. Deseaba contárselo. No sabía por qué. Tal vez porque nunca lo había hablado con nadie, ni siquiera con la señora Michaels.

—Mi esposa murió hace dos años, y creo que los niños y yo necesitábamos empezar de cero, ¿sabes? Lejos de viejas rutinas y relaciones. Las relaciones familiares a veces pueden suponer una carga.

—Lo entiendo. En muchas ocasiones yo he querido también empezar de nuevo.

¿De qué querría huir ella? Tenía la impresión de

que había más bajo la superficie de Caidy Bowman, más que una hermosa vaquera que adoraba a los animales y a su familia.

—¿Así que hicisteis las maletas y os mudasteis a las montañas de Idaho?

—Algo así.

Caidy dio un trago a su chocolate y ambos se quedaron en silencio, interrumpido solo por la respiración tranquila del perro. Se le había quedado un poco de chocolate en el labio superior, y Ben se preguntó qué haría si se acercaba y se lo quitaba con la lengua.

—¿Te parece inapropiado que te pregunte por tu esposa?

—Murió en un accidente de tráfico tras caer en un coma relacionado con la diabetes cuando iba conduciendo.

No añadió el resto, no le habló del bebé nonato que él no deseaba y que había muerto con ella, ni le contó lo enfadado que había estado con ella las semanas antes de su muerte, furioso por haberle puesto en esa situación después de que ambos hubieran decidido parar después de tener a Jack, cuando los médicos le advirtieron de los riesgos de un tercer embarazo.

Se odiaba a sí mismo por el modo en que había reaccionado. El temperamento que había heredado de su abuelo, el que luchaba constantemente por superar, había escapado de su control. Se había vuelto malo, odioso, e incluso había empezado a dormir en la habitación de invitados después de que ella le dijera que estaba embarazada, días después de haber decidido que él se iba a hacer la vasectomía.

Caidy le dirigió una mirada compasiva que no merecía.

—Diabetes. Qué trágico. Debía de ser muy joven.

—Treinta años.

—Lo siento mucho.

Sí. Trágico. Algo que nunca debería haber sucedido. Se culpaba a sí mismo; y también los padres de Brooke, razón por la que intentaban poner a sus hijos en su contra.

—Debes de echarla mucho de menos. Entiendo que quisieras empezar de cero lejos de los recuerdos.

Sí que la echaba de menos. La adoraba cuando se casaron, hasta que empezó a mostrar su lado caprichoso y testarudo, que mientras salían había pasado por alto como parte de su encanto.

Egoístamente, Brooke había creído que era más fuerte que su diabetes. No se merecía tenerla, por tanto no debería tener que preocuparse por cuidar de sí misma. Se mostraba despreocupada hasta el punto de no revisarse los niveles ni pincharse la insulina.

Había sido una madre devota, nunca diría lo contrario, aunque a veces se preguntaba cómo una madre devota podría poner en riesgo su propia salud cuando ya tenía tantas cosas, simplemente porque deseaba tener más.

—¿Y tú? —le preguntó a Caidy para cambiar de tema—. ¿Alguna vez has estado casada?

—¿Yo? No. Tengo citas de vez en cuando, pero nada serio. Las posibilidades de tener citas en Pine Gulch son muy reducidas. A casi todos los hombres solteros de por aquí los conozco desde siempre.

«A mí no me conoces».

Aquel peligroso pensamiento se coló en su mente y pareció quedarse allí. No. No quería entrar en eso. Caidy era una mujer guapa y él se sentía atraído por ella, pero nunca haría nada al respecto, salvo mirarla de reojo y fantasear.

Tenía que pensar en sus hijos y en su clínica. En su vida no había sitio para una mujer complicada como Caidy Bowman.

¿Por qué se escondería en un pueblo pequeño como Pine Gulch? ¿Por qué no se habría hecho veterinaria? Parecía sentirse sola. No sabía por qué pensaba eso, pero de pronto estaba seguro de ello.

—¿Por qué no buscar entonces en otro sitio? El mundo es grande. Siempre podrías probar con las citas *online*.

—Vaya. Eres veterinario y asesor de relaciones. ¿Quién lo hubiera dicho? Me parece una combinación extraña, pero está bien.

Ben se rio, porque aquel no era su modus operandi habitual. Normalmente era ajeno a los dramas personales de los demás, salvo cuando se trataba de sus relaciones con sus mascotas.

—Ese soy yo. Curaré a tu perro y a tu corazón roto, y todo a módico precio. Además se puede pagar en cómodas cuotas.

Ella sonrió y el lado derecho de su boca se elevó ligeramente más que el izquierdo, lo que creaba una agradable sensación de ambivalencia.

Deseaba besarla.

Sentía la necesidad de saborear sus labios cálidos mezclados con el sabor del chocolate y de la frambuesa. Tenía que salir de allí. Ya, antes de hacer una locura e intentar convertir sus fantasías en realidad.

El perro resopló suavemente y aquella fue la excusa que necesitaba para levantarse y acercarse a ver al animal.

Por desgracia, ella le siguió cuando se agachó para revisar la respiración del perro con el estetoscopio.

—¿Cómo suena?

—Bien. La respiración ya es normal. Creo que hemos resuelto el problema.

—Gracias de nuevo por todo. No sé si el doctor Harris podría haber hecho tan bien el trabajo.

Las palabras se le colaron dentro y se sintió increíblemente satisfecho por el cumplido.

—De nada.

—Espero no tener que volver a llamarte en mitad de la noche.

—Por favor, no dudes en hacerlo. Ahora estoy aquí al lado.

—Ridge dijo que sería como tener nuestro propio veterinario interno —contestó ella con una sonrisa—. Solo para que te tranquilices, prometo no aprovecharme.

«Por favor, aprovéchate todo lo que quieras». Ben se aclaró la garganta.

—Creo que los tipos de por aquí están locos. Aunque crecieras con ellos.

No sabía por qué había dicho aquello. Ella se quedó mirándolo sobresaltada, con los ojos desencajados y la boca ligeramente abierta.

Podría haber dejado las cosas ahí, sin complicaciones, pero de pronto ella se quedó mirándole los labios y Ben vio el brillo del deseo en sus ojos.

Maldijo para sus adentros, se arrepintió de lo que estaba a punto de hacer y se lanzó hacia ella.

Capítulo 6

CUANDO su boca se posó sobre la suya, cálida, firme y con sabor a chocolate, Caidy no pudo creer que aquello estuviera sucediendo.

El atractivo veterinario estaba besándola un día después de pensar que era maleducado y arrogante. Durante unos segundos se quedó petrificada por la sorpresa, pero después empezó a sentir el calor. ¡Oh, sí!

¿Cuánto tiempo hacía que no disfrutaba de un beso y deseaba más? Le sorprendió darse cuenta de que no se acordaba. Mientras Ben la besaba, ella giró el cuello ligeramente para tener una posición mejor.

Extendió los dedos sobre su pecho y notó su calor en la piel, incluso a través del algodón de la camisa.

Se estremeció por dentro. Mmm. Aquello era justo lo que dos personas deberían estar haciendo a las tres de la mañana una fría noche de diciembre.

Ben hizo un sonido gutural que le recorrió la columna y ella sintió la fuerza de sus brazos rodeándola. En aquel momento nada parecía importar, salvo Ben Caldwell y las sensaciones maravillosas que le provocaba.

Aquello era una locura. Era lo que su instinto de supervivencia parecía estar diciéndole. ¿Qué estaba haciendo? No debía besar a alguien a quien apenas conocía. Si seguía así, Ben iba a pensar que besaba a cualquier hombre que le dedicaba una sonrisa.

Aunque le costó un gran esfuerzo, consiguió apartarse de él unos centímetros e intentó recuperar el aliento.

La distancia que había creado entre ellos hizo que Ben recuperase también el sentido común. Se quedó mirándola con asombro.

—Eso ha estado mal. No sé en qué estaba pensando. Tu perro es un paciente y… no debería haber…

Caidy se habría sentido ofendida por la consternación de su voz, de no haber sido por la excitación que veía en sus ojos y por cómo parecía costarle recuperar el aliento. No podía quejarse, pues ella estaba teniendo el mismo tipo de reacción.

—Relájate, doctor Caldwell. No has hecho nada malo, que yo sepa. Tampoco es que yo te haya echado por la puerta.

—No. No —respondió él pasándose una mano por el pelo—. Supongo que no.

—Es tarde, ambos estamos cansados y no pensamos con claridad. Estoy segura de que ha sido solo eso.

Él apretó la mandíbula. Parecía querer llevarle la contraria, pero al final se limitó a asentir con la cabeza.

—Seguro que tienes razón.

—No ha pasado nada malo. Ambos olvidaremos los últimos cinco minutos y seguiremos con nuestras vidas.

—Buena idea.

Aquella disposición por su parte hizo que cierto arrepentimiento se alojara en su pecho. Por un instante se había sentido casi normal, como cualquier otra mujer. Alguien capaz de flirtear, de sonreír y de llamar la atención de un hombre atractivo.

Él deseaba olvidar lo que había sucedido, mientras que ella estaba segura de que jamás podría borrar aquellos minutos de su memoria.

—Debería irme.

—Sí —«o podrías quedarte y seguir besándome durante varias horas», pensó ella.

—Llámame si hay algún cambio con el perro.

—Espero que haya pasado ya lo peor. Pero lo haré.

Aquello último era mentira. No tenía intención de volver a llamarle en mitad de la noche.

—Buenas noches.

Ella asintió sin saber bien qué responder. Finalmente él se quedó mirándola durante unos segundos antes de ponerse el abrigo y abandonar la casa por la puerta lateral.

Una ráfaga de aire frío se coló en la habitación a través de la puerta y ella se estremeció, aunque no era solo por el frío de aquella noche invernal.

¿Qué diablos acababa de suceder allí?

Se rodeó a sí misma con los brazos. Sabía que le traería problemas. Lo sabía. No debería haberle sugerido que se mudara a la casa del capataz. Si hubiera utilizado el cerebro, habría podido predecir que haría alguna estupidez, como encapricharse de la manera más vergonzosa e incómoda.

Ella pasaba casi todos sus días en el rancho, rodeada de sus hermanos y algunos empleados, la mayoría de los cuales eran muchachos recién salidos del instituto o veteranos que ya estaban casados o no despertaban su interés.

El rancho era seguro. Siempre había sido su refugio frente a la dureza del mundo. Ahora había estropeado eso al invitar a un hombre tentador a instalarse temporalmente en su zona de confort.

Aquel hombre sabía besar bien. Eso no podía negarlo. Se llevó una mano al estómago, que seguía revuelto por los nervios. La última vez que le habían dado un beso así había sido… bueno, nunca.

No volvería a suceder. Ninguno de los dos deseaba aquello. No tenía más que recordar la consternación de su mirada al recuperar el sentido. Probablemente aún estuviese llorando la pérdida de su esposa. Y ella… bueno, ella se había dicho a sí misma que no buscaba una relación, que se sentía satisfecha ayudando a Ridge con Destry y entrenando a sus perros y a algún caballo.

Por primera vez en mucho tiempo, empezaba a preguntarse qué otras cosas habría en el mundo, esperando.

—Creo que ya se siente mejor, ¿verdad?

Caidy apartó la mirada de la masa que estaba preparando y miró a su sobrina, que estaba sentada con las piernas cruzadas junto a la manta de Luke. Tenía la cabeza del perro en su regazo y el animal la miraba con adoración.

—Sí. Eso creo. Parece más feliz que hace unas pocas horas.

—Me alegro. Ya pensé que era perro muerto cuando vi al viejo Festus ir tras él.

—Espero que te sirva como recordatorio de lo peligrosos que pueden ser los toros. Podrías haber sido tú. No quiero que te acerques a Festus ni a ninguno de los demás toros. Normalmente son tranquilos, incluso Festus, pero nunca se sabe.

—Lo sé. Lo sé. Papá y tú me lo habéis dicho como un millón de veces. Ya no soy una niña pequeña, tía Caidy. Soy lo suficientemente lista para saber que no debo acercarme.

—Bien. El rancho puede ser un lugar peligroso. Nunca debes bajar la guardia. Incluso una de las vacas podría pisotearte si perdieras el equilibrio.

—Es un milagro que haya sobrevivido hasta cumplir los once años, ¿verdad?

—Muy graciosa —respondió Caidy—. No puedes culparnos a tu padre y a mí por preocuparnos por ti. Solo queremos que estés a salvo.

—¿Qué va a pasar con Luke? Ya no podrás entrenarle para que sea un perro pastor, ¿verdad?

Incluso sin las lesiones, sospechaba que Luke siempre se mostraría nervioso con el ganado. ¿Cómo podía culparle si a ella le pasaba lo mismo en cierto sentido? No tenía miedo al ganado. Sus miedos eran de otro tipo. Cuando llegaba aquella época del año, el corazón se le aceleraba un poco siempre que llamaban a la puerta, incluso aunque estuvieran esperando visita.

El recuerdo de aquella noche formaba parte de ella igual que las pecas de su nariz o la cicatriz que tenía en la ceja izquierda, de cuando se clavó una horca a los ocho años.

—Aún no sé qué pasará con Luke —respondió al

fin mientras hacía una pequeña bola de masa y la colocaba en la bandeja—. Supongo que, de ahora en adelante, será simplemente una mascota.

—¿En el River Bow?

—Claro. ¿Por qué no? —tenían muchos perros y no necesitaban otro solo como mascota. Sadie, que era demasiado mayor para trabajar, ocupaba ese papel, pero suponía que podrían hacer hueco para uno más.

—Bien —dijo Destry—. No es culpa suya que le hayan herido. Solo sentía curiosidad. No me parece justo librarnos de él por un accidente.

Destry era una niña dulce, cariñosa y compasiva. Quizá demasiado compasiva. Caidy sonrió al recordar la Navidad pasada, cuando su sobrina había dicho que ese año no quería regalos, sino dinero.

Después descubrieron que a la niña, y también a algunas de sus compañeras de clase, estaban quitándole dinero y demás pertenencias… Y la responsable había resultado ser Gabi, la hermana pequeña de la esposa de Trace.

Por aquel entonces todavía no formaba parte de su familia, claro. No era más que una niña perdida y abandonada por su madre que intentaba encontrar su camino.

Trace les había dado a Becca y a Gabi la familia que merecían; y Gabi y Destry habían acabado haciéndose amigas.

Luke se había quedado dormido, así que su sobrina se levantó con cuidado y se acercó a la isla de la cocina.

—¿Necesitas ayuda con la masa?

—Claro. Estoy haciendo bollos en forma de trébol para la cena. Ya sabes, haces tres bolas pequeñas y las juntas. Pero lávate las manos primero.

Destry obedeció y ambas empezaron a trabajar juntas y en silencio durante unos minutos. Caidy apreciaba aquellos momentos con su sobrina, la cual estaba creciendo demasiado deprisa.

Le encantaba preparar la cena para su familia los domingos, cuando todos se reunían para ponerse al día. Tener a Alex, a Maya y a Gabi hacía que las reuniones familiares fuesen más divertidas.

Su vida estaba bien. Tenía familia y amigos, un trabajo que le gustaba, un hogar que adoraba y un perro que estaba recuperándose.

No necesitaba que Ben Caldwell dinamitase su mundo con aquella sonrisa y esos besos, que le hacían sentir que le faltaba algo importante.

—¿Puedo poner la radio? —preguntó Destry pasados unos minutos.

—Claro. Algo que podamos bailar —contestó ella con una sonrisa. Segundos más tarde, la cocina se llenó de música con alegres canciones navideñas. No era lo que tenía en mente, pero ¿qué otra cosa podía hacer?

Destry estaba cantando *Winter Wonderland* con todas sus fuerzas y balanceándose de un lado a otro cuando se abrió la puerta y entró Ridge sacudiéndose la nieve de las botas.

—Está nevando mucho. Me parece que vas a dar un paseo bajo la nieve esta noche, hija.

Destry sonrió.

—Me encanta la nieve. ¿Qué podría ser más divertido? La tía Caidy ya dijo que prepararía su chocolate caliente, y vamos a preparar masa para hacer galletas de pasas y avena y poder meterlas al horno antes de irnos. Así seguirán calientes cuando estemos en el carro.

—Parece que lo tenéis todo pensado.

—¡Va a ser genial! Muchas gracias por acceder a llevarnos. Eres increíble, papá.

—De nada, hija.

Ridge se volvió hacia Caidy y ella reconoció la tensión en su expresión.

—Oye, ¿te importa que seamos algunos más a cenar?

No era algo fuera de lo común. Ridge tenía por costumbre invitar a gente.

—No debería ser problema. Estoy preparando un gran rosbif, y siempre puedo añadir algunas patatas y zanahorias más. ¿A quién has invitado?

Su hermano se encogió de hombros.

—Al nuevo veterinario y a sus hijos.

¿El nuevo veterinario? ¿El hombre con el que se había besado en esa misma cocina doce horas antes? Abrió la boca para responder, pero no le salió nada más que un sonido ridículo.

—Estaba limpiando la entrada con la pala cuando he salido a despejar la entrada con el tractor y hemos empezado a hablar. He mencionado lo de la cena y el paseo de después, y le he preguntado si querrían cenar con nosotros.

De pronto Caidy quiso lanzarle a su hermano la bola de masa que tenía en la mano. ¿Cómo podía hacerle eso? Le había advertido que no se hiciera ideas equivocadas sobre Ben y ella, y sin embargo era justo lo que estaba haciendo.

—No te importa, ¿verdad?

—No. ¿Por qué debería importarme? —murmuró ella, aunque se le ocurrían varias razones. Empezando y terminando con aquel beso.

—Eso pensé. Becca, Laura y tú siempre hacéis demasiada comida. Invitar al veterinario y a su familia a cenar me parecía una buena forma de darles la bienvenida al rancho. Y pensaba que a sus hijos les gustaría ir de paseo con nosotros después.

—Seguro que les encantará. Será algo nuevo y excitante para unos niños de California. Probablemente no tuvieran mucha nieve allí.

—¡Genial! —exclamó Destry—. Espero que sepan cantar.

Bien. Canciones y Ben Caldwell. Dos cosas que debería evitar a toda costa y que, sin embargo, no podía evitar. Aquella iba a ser una noche interesante.

Capítulo 7

C**REES** que Alex y Maya también estarán?
—Imagino que sí, hijo —le dijo Ben a su hijo
mientras caminaban los tres bajo la nieve hacia la casa principal del rancho. La nieve amortiguaba todos los sonidos, incluyendo el suave fluir del arroyo, que circulaba al otro lado de los árboles que formaban un yugo en torno al rancho.

—Espero que Gabi también esté —comentó Ava, que mostraba más entusiasmo por la salida de lo que había mostrado en mucho tiempo—. Es divertidísima.

—Seguro que estará. Ridge dijo que iría toda la familia a cenar, y ella es parte de la familia.

Sin embargo, los niños y él no lo eran. Solo eran invitados temporales y probablemente no debiera arrastrar a sus hijos a esa cena familiar, sobre todo después de los acontecimientos de la noche anterior.

Debería haber dicho que no. Ridge Bowman le había pillado por sorpresa con la invitación mientras estaban limpiando la nieve, y no había sabido qué responder.

A los niños les encantaría, pero sabía que a él no. No le importaba relacionarse. A Brooke le gustaba dar fiestas, y una parte de él echaba eso en falta desde su muerte. Pero aquella fiesta era un evento familiar y no quería invadirles.

Si eso no fuera suficiente, no estaba preparado para enfrentarse a Caidy Bowman.

Aquel beso le había dejado inquieto y excitado. No había podido dormir después de abandonar su casa. Se había pasado la noche dando vueltas en la cama hasta que finalmente se había levantado a las seis, antes que los niños, y había empezado a quitar nieve con la pala para aliviar la tensión.

Aquel beso. Había deseado ahogarse en él, arrastrar a Caidy con él, saborear y explorar su boca hasta quedar ambos sin aliento. Y sabía que ella habría respondido de igual manera, con gran entusiasmo.

¿Cómo podía uno ponerse a hablar de cualquier cosa con una mujer después de haberla besado así sin desear volver a hacerlo?

Un par de perros se acercaron a saludarlos al acercarse a la casa, y Jack se colocó tras él. Aunque su hijo veía muchos perros desconocidos en la clínica, normalmente le daban miedo los animales que no conocía. Un enorme mastín sin entrenar le había acorralado en una ocasión en la clínica años atrás. Solo buscaba cariño, pero Jack se había asustado mucho y desde entonces se mostraba desconfiado.

—No te harán daño, Jack. Mira, ambos están moviendo el rabo. Solo quieren decir hola.

—Yo no quiero —dijo Jack.

—Entonces no tienes que hacerlo. Ava, ¿quieres

llevar la bolsa con la ensalada y el *toffee* de la señora Michaels mientras yo llevo en brazos a tu hermano?

Su hija agarró la bolsa y salió corriendo mientras él levantaba a su hijo y se lo subía a hombros para recorrer el resto del camino.

Al atardecer, la casa del rancho estaba iluminada con luces que colgaban de los aleros y alrededor del porche. La gente de la costa pagaría mucho dinero por poder pasar la Navidad en un rancho de ganado pintoresco como aquel.

Había varios vehículos desconocidos aparcados en la entrada de la casa, y Ben experimentó de nuevo esa incomodidad. Si no fuera por el entusiasmo de sus hijos, probablemente se hubiera dado la vuelta para regresar a su casa.

Ava llegó al porche antes que ellos y subió los escalones para llamar al timbre. Mientras Ben y Jack llegaban hasta el porche, una mujer que no conocía abrió la puerta.

—Tú debes de ser el nuevo veterinario. Ridge mencionó que ibais a venir. Hola. Soy Becca Bowman, estoy casada con Trace. Adelante, entrad.

Ben entró y se entretuvo quitándoles a sus hijos los abrigos, los guantes, los gorros, las bufandas y las botas. Becca lo recogió todo y lo guardó dentro de un enorme armario situado bajo la escalera de madera.

—¿Tú eres la madre de Gabi? —preguntó Ava mientras se quitaba las botas sentada al pie de la escalera.

—De hecho soy su hermana mayor. Es una larga historia. Pero supongo que, a todos los efectos, soy su madre.

Una historia intrigante. Ben se preguntó cuáles serían los detalles, pero decidió que no importaba. Obviamente Becca se había hecho cargo de su hija y no pudo evitar pensar que le resultaba admirable.

—¿Dónde está Gabi? —preguntó Ava.

—Destry y ella están por aquí, en alguna parte. Estarán encantadas de verte. Llevan una hora esperando con impaciencia a que llegues.

Ava sonrió entusiasmada. Tal vez estar en el rancho durante unas semanas junto a su amiga fuese algo bueno para ella. Quizá eso le hiciese aceptar por fin que se había mudado a Idaho, lejos de sus abuelos.

—La última vez que las he visto, estaban jugando a un videojuego en el estudio. Está al final del pasillo y a la izquierda.

Ava salió corriendo seguida de Jack.

—Creo que la cena está casi lista —le dijo Becca a Ben—. Ven al salón. Seguro que alguno de los chicos podrá ofrecerte algo de beber.

Le condujo hasta una enorme habitación dominada por una pared de ventanales y el enorme árbol de Navidad que había visto brillar desde fuera al acercarse. ¿Dónde estaba Caidy?

Su hermano Ridge se le acercó de inmediato con una cerveza fría.

—Hola, doctor Caldwell. Me alegra que hayas podido venir.

—Gracias.

—¿Conoces a mis hermanos? —preguntó Ridge.

—Conozco al jefe de policía Bowman. Y al jefe de bomberos Bowman —Ben pensó en lo confuso que debía de resultar para un pueblo tener a un jefe de policía y a un jefe de bomberos que no solo eran hermanos, sino además gemelos idénticos.

—Según creo, nos has abandonado en el hotel —dijo Taft Bowman.

—Lo siento. Allí estábamos muy apretados —se justificó.

—Oh, no te preocupes por eso. Laura ya tiene reservadas vuestras habitaciones para las fiestas. Tuvo que rechazar a varios huéspedes en las últimas semanas, pero acabó poniéndose en contacto con alguno de ellos, que estaban en lista de espera. Y se mostraron encantados por la cancelación de última hora.

—Es un alivio.

—Laura lleva toda la semana diciendo que pensaba que tus hijos necesitaban estar en una casa de verdad para pasar las fiestas. Se mostró encantada cuando Caidy le sugirió que os alojarais aquí. En cuanto colgó el teléfono, dijo que no podía creer que no se le hubiera ocurrido pensar en la casa del capataz.

—Ya echo de menos los deliciosos desayunos del hotel —respondió Ben. Era cierto, aunque la señora Michaels era también una excelente cocinera y se había esmerado aquella misma mañana preparando tortitas y sus famosos huevos revueltos.

En las tres semanas que llevaba en el hotel de Cold Creek, Laura Bowman le había parecido una persona extraordinariamente amable. En general toda la familia les había brindado una calurosa bienvenida al pueblo.

—El que está allí hablando por el móvil es mi marido, Trace —dijo Becca—. Es el jefe de policía y tiene suerte de estar de permiso esta noche, aunque a sus ayudantes a veces se les olvida.

El tipo en cuestión saludó con la mano y sonrió, pero siguió al teléfono. Ben se acordó de pronto del *toffee* y sacó la lata.

—¿Dónde queréis que ponga esto?

—No tenías que preparar nada —le dijo Becca.

—Yo no he tenido nada que ver —admitió él—. Ha sido cosa de mi ama de llaves. Por cierto, ha dicho que la disculpáramos. Habría venido, pero tenía que atender una llamada de su hija. Está esperando a su primer nieto y la separación ha sido difícil.

Se sintió algo culpable por ello. Anne había ido con él a Idaho por propia voluntad, pero sabía que echaba de menos a su hija, sobre todo en aquellos momentos tan importantes, con un parto inminente. Se comunicaban con frecuencia por videoconferencia, pero no era lo mismo que estar cara a cara.

—Vamos a dejarlo sobre la mesa. Pero primero tengo que probar alguno. Me encantan los caramelos de *toffee*.

—Oh, traed algunos aquí —dijo Taft, así que Becca les pasó a todos sus hermanos la lata de caramelos.

—También ha preparado ensalada. Ensalada griega de pasta.

—Suena también delicioso. Me la llevo a la cocina para ver dónde la quiere Caidy.

—Puedo hacerlo yo —su ofrecimiento salió de la nada—. Ya que estoy aquí, debería ir a ver a mi paciente.

—De acuerdo. Claro. Al final del pasillo y después doblas la esquina.

Lo recordaba. Tenía la sensación de que todos los detalles de la cocina de los Bowman quedarían grabados en su memoria durante mucho tiempo.

Cuando entró, vio a Caidy allí y la inquietud que le había acompañado durante todo el día pareció evaporarse. Caidy estaba de pie frente a los fogones, con el pelo recogido en una coleta y un delantal sobre los vaqueros y la camiseta azul.

Debió de sentir su presencia, aunque era evidente

que estaba preparando una docena de platos a la vez. Se dio la vuelta y Ben vio que se le sonrojaban las mejillas, aunque no sabía si sería por el calor de los fogones o por el recuerdo del beso que habían compartido en esa misma habitación.

—Ah, hola. Ya has llegado.

—Sí. He traído ensalada griega de pasta. La ha preparado mi ama de llaves. Y caramelos de *toffee*.

—Genial. Gracias. Puedes llevar la ensalada al bufé del comedor. No creo que los caramelos de *toffee* duren mucho con mis hermanos cerca.

—Ya estaban dando buena cuenta de ellos —le informó él.

—Oh, Dios. Me encanta el *toffee*. Ellos también lo saben, pero ¿crees que me guardarán alguno? Lo dudo. Desaparecerán antes de que pueda probarlos.

—Le diré a la señora Michaels que te prepare más.

—Qué amable —respondió ella con una sonrisa—. O podría echar un pulso con mis hermanos a cambio del último caramelo.

—Claro —Ben se aclaró la garganta, sin saber bien qué decir—. Eh, voy a llevar esto al comedor.

Aquello era absurdo. ¿Por qué no podía hablar con ella y mantener una conversación medianamente inteligente?

Decidido a intentarlo, después de llevar la ensalada al comedor, regresó a la cocina.

Caidy pareció sorprendida de volver a verlo allí tan pronto.

—Quería ver cómo está Luke —explicó él.

—Parece que se encuentra mejor. Lo he llevado a mi habitación para que pueda descansar durante la cena.

—¿Te importa que le eche un vistazo?

—¿En serio? No tienes por qué. Ridge no te ha invitado a cenar para recibir tratamiento gratis.

—Bueno. Ya que estoy aquí, me gustaría ver cómo progresa.

—¿Quieres que me encargue de remover la salsa para que puedas decirle a Ben dónde está tu habitación?

Por primera vez, Ben recayó en la presencia de Laura Bowman, que estaba de pie al otro lado de la cocina cortando aceitunas.

—Gracias. Estará lista en unos pocos minutos.

Caidy se lavó las manos y le guió por el pasillo hasta una puerta situada junto a la cocina. Ben oyó un ladrido procedente del otro lado justo antes de que ella abriera la puerta.

El perro estaba tendido junto a la cama, cerca de la ventana, en el mismo cercado en el que había estado en la cocina.

Cuando vio a Caidy, agitó el rabo e intentó incorporarse, pero ella se agachó y le puso una mano en la cabeza. Inmediatamente el animal se recostó.

—Mira quién está aquí. Es nuestro amigo el doctor Caldwell. ¿No te alegras de verle?

—¿No ha vuelto a tener problemas con la respiración?

—No. Durmió como un tronco el resto de la noche y lleva durmiendo casi todo el día.

—Eso es lo que mejor le viene.

—Eso me imaginaba. He estado administrándole analgésicos con regularidad. Ridge ha estado ayudándome a sacarlo fuera para que hiciera sus necesidades.

Ben entró en el cercado y se arrodilló para poder acariciar al perro. Aunque se concentraba en su paciente, una parte de él era consciente de que Caidy estaba observándolo atentamente.

¿Sentiría ella también la atracción entre ambos, o sería solo cosa suya?

Creía que no. Caidy le había devuelto el beso sin dudar. Recordó la dulzura de su boca, el sonido de su respiración, su pulso acelerado bajo sus dedos. Sintió un vuelco en el estómago al recordarlo.

—Creo que está curándose correctamente. En un día o dos, puedes dejarle total movilidad otra vez. Llévalo a la clínica a mitad de semana y le revisaré los puntos. Me alegra ver que va tan bien.

—No creías que fuese a sobrevivir, ¿verdad?

—No —respondió él con total sinceridad—. Siempre me gusta equivocarme.

—Realmente te has desvivido por él. Viniendo en mitad de la noche y todo. Quiero… quiero que sepas que te lo agradezco. Mucho.

—Es mi trabajo. No sería muy bueno si no me preocuparan mis pacientes, ¿no crees?

Caidy abrió la boca como para decir algo más, pero después volvió a cerrarla. Ambos se quedaron en silencio y él supo entonces que ella estaba recordando también el beso.

—Mira, tengo que disculparme por lo de anoche —dijo Ben—. Fue muy poco profesional y no debería haber pasado. No tengo por costumbre hacer eso.

—¿Hacer qué?

—Ya sabes qué. Vine aquí a ayudarte con el perro. No debería haberte besado. Fue poco profesional y no debería haber pasado.

Caidy soltó una carcajada inesperada y tensa.

—Tal vez debiera pensar en añadir eso a su lista de servicios, doctor Caldwell. Créeme, si se supiera lo bien que besas, todas las mujeres de Pine Gulch que estuvieran pensando en tener un gato o un perro harían cola en el refugio de animales solo para poder besarse con el sexy veterinario.

Ben notó que se sonrojaba. Caidy estaba riéndose de él, pero suponía que se lo merecía.

—Solo intentaba decirte que no tienes por qué temer que vuelva a pasar. Era tarde, estaba cansado y no sabía qué hacía. De lo contrario, nunca habría pensado en besarte.

—Ah, bien. Entonces eso lo explica a la perfección.

Ben tenía la impresión de haber herido sus sentimientos de algún modo, lo cual no había sido su intención.

—Es bueno conocer tus debilidades —continuó ella—. La próxima vez que necesite un veterinario en mitad de la noche, llamaré al de Idaho Falls. No queremos repetir una experiencia tan horrible.

—Creo que ambos estaremos de acuerdo en que no fue horrible. Ni mucho menos.

—Solo desafortunado —murmuró ella.

—Dame un respiro, Caidy. ¿Qué quieres que diga?

—Nada. Ambos estuvimos de acuerdo en olvidar lo sucedido.

—Es más fácil decirlo que hacerlo —admitió él.

—Como todo.

—Es cierto.

—No es para tanto, Ben. Nos besamos. ¿Y qué? Me gustó y a ti te gustó también. Ambos estamos de acuerdo en que no debería volver a pasar. Sigamos con nuestras vidas, ¿de acuerdo?

¿Así, sin más? Le parecía difícil, pero no pensaba discutir con ella.

—Debería volver a la cocina. Gracias por echarle un vistazo a Luke.

—No hay problema —respondió él. La siguió de vuelta al pasillo, deseando más que nada que las circunstancias pudieran ser diferentes, que él pudiera ser el tipo de hombre que una mujer como Caidy Bowman necesitaba.

Capítulo 8

¡QUÉ hombre tan insufrible! Cuando salieron del dormitorio, Ben se fue al salón con el resto y Caidy, inquieta y molesta, regresó a la cocina para terminar de preparar la cena.

¿Cómo podía considerar uno de los mejores momentos de su vida como un terrible error?

Sí, el beso no debería haber ocurrido. Ambos aceptaban eso. No tenía por qué actuar como si hubieran cometido un crimen terrible y debieran por tanto castigarse el resto de sus vidas.

«Era tarde, estaba cansado y no sabía qué hacía. De lo contrario, nunca habría pensado en besarte».

Aquellas palabras despejaban la duda de que pudiera sentirse atraído por ella. La había besado porque estaba cansado y porque ella estaba allí. La humillación no podía ser mayor, sobre todo después del entusiasmo con que ella había respondido y de las fantasías absurdas que había estado teniendo a lo largo del día.

—¿Ocurre algo? ¿Quieres que empecemos a sacar platos al comedor? —le preguntó Becca.

Caidy dio un respingo y se dio cuenta de que se había quedado quieta mirando el asado que acababa de sacar del horno. Frunció el ceño e hizo todo lo posible por olvidarse del asunto.

—Sí. Eso estaría bien, gracias. Todo debería estar listo ya. Debería dejar que el asado repose unos minutos, pero, para cuando hayamos sacado todo lo demás, estará listo para servirse.

Becca y Laura agarraron los diferentes cuencos y se los llevaron a la mesa, charlando mientras tanto sobre sus respectivos planes para Nochebuena. Caidy sonrió al escucharlas. Quería mucho a sus cuñadas. Lo mejor era que cada una de ellas era perfecta para sus hermanos.

Becca sacaba lo mejor de Trace. Desde que Gabi y ella aparecieran en su vida las Navidades anteriores, Caidy había visto una ternura en Trace que llevaba oculta desde que sus padres fueran asesinados.

Laura Pendleton era justo la mujer que Caidy siempre había querido para que Taft se apaciguase un poco. Taft y Laura habían estado muy enamorados en una ocasión, hasta que su compromiso se rompió abrupta y misteriosamente pocos días antes de su boda.

Verlos juntos, después de todos esos años, le producía una gran alegría.

Caidy no estaba celosa de la felicidad que sus hermanos habían encontrado; era feliz por todos ellos. Quizá sintiera cierta melancolía cuando contemplaba los momentos entre dos personas que se querían mucho, pero hacía lo posible por no pensar en ello.

Laura y Becca regresaron a la cocina para sacar del frigorífico las ensaladas que habían preparado.

Caidy no sabía cuánto tiempo más duraría la tradición de la cena de los domingos. No culparía a Taft y a Trace por querer pasar su tiempo libre con sus propias familias. Por el momento, todos parecían felices y contentos reuniéndose todas las semanas.

—Así que el nuevo veterinario está buenísimo. ¿Por qué nadie me lo había dicho? —preguntó Becca mientras colocaba en una cesta los panecillos que Caidy había sacado del segundo horno.

—No sé —respondió Laura—. Quizá pensamos que, como estás casada con Trace Bowman, un hombre que solo compite en atractivo con su hermano gemelo, en realidad no necesitarías saber nada sobre el nuevo veterinario.

Caidy sintió una punzada de envidia al ver la sonrisa pícara de Becca.

—Cierto —respondió Becca—. Pero deberías haberme advertido antes de abrir la puerta y encontrarme con ese pedazo de hombre, y encima con su hijo a hombros.

Caidy no dijo nada mientras trinchaba el asado. Normalmente de eso se encargaba Ridge, pero quería que siguiera dándole conversación a dicho veterinario en la otra habitación.

—¿Y qué dices tú, Caidy? —preguntó Becca—. Eres la única soltera aquí. ¿No te parece que está bueno? Hay algo en esos ojos azules y esas pestañas largas...

De pronto le temblaron las rodillas y estuvo a punto de cortarse el pulgar con el cuchillo.

—Claro —murmuró—. Es una pena que tenga la personalidad de un tejón.

Vio las miradas de sorpresa de sus cuñadas. Laura se quedó con la boca abierta y Becca arqueó las cejas, probablemente porque ella casi nunca hablaba mal de nadie.

Laura fue la primera en hablar.

—Es extraño que digas eso. A mí me parecía muy simpático cuando se alojaba en el hotel. La mitad de mis empleadas estaban enamoradas de él.

Después de aquel beso, temía que pudiera entrar en ese grupo con el más mínimo empujón. No recordaba haberse sentido nunca tan atraída por un hombre.

—A mí no me sorprende —respondió ella finalmente—. ¿Queréis saber lo que pienso de Ben Caldwell? Creo que es un imbécil arrogante, maleducado y engreído. A algunas mujeres les gustan ese tipo de hombres. No me preguntéis por qué.

—Y no te olvides de que con frecuencia está en el lugar y en el momento equivocado.

Al oír su voz profunda, tanto sus cuñadas como ella se volvieron hacia la puerta y vieron allí a Ben.

—A mi hijo se le ha caído un vaso de agua —explicó—. Venía buscando un trapo para limpiarlo. A no ser que te parezca de mala educación pedirlo.

Becca abrió el cajón donde Caidy guardaba los trapos, sacó uno y se lo entregó.

—Gracias —respondió él, y se marchó sin decir nada más. A Caidy le dieron ganas de meter la cara en la salsa.

—Vaya. Me parece que no habéis empezado con buen pie —comentó Becca.

—Podría decirse que no —respondió ella.

Su madre la habría agarrado de la oreja y la habría enviado castigada a su habitación por ser tan grosera con un invitado. No podría volver a mirarlo. ¿Cómo iba a sentarse a la mesa junto a él después de lo que le había oído decir? Lo peor era que nada de aquello era

cierto. Simplemente le avergonzaba sentirse atraída
por un hombre que se arrepentía de haberla tocado.

¿Qué excusa podría inventarse para pasarse la noche en la cocina?

Suspiró y se dio cuenta de que iba a tener que encontrar la manera de disculparse, pero ¿cómo iba a hacerlo sin darle algún tipo de explicación? No podía
contarle la verdad. Eso haría que se sintiese más hu-
millada y avergonzada.

—Creo que voy a sacar estos panecillos —dijo Becca para romper el silencio.

Después Laura le puso una mano a Caidy en el
brazo.

—Vamos a ver, ¿a qué ha venido eso? ¿Ha ocurrido algo entre vosotros?

Su amiga la conocía desde hacía muchos años, mucho antes de que sus padres murieran. No quería contárselo. No quería hablar con nadie; solo quería escon-
derse en su habitación con Luke.

—Le llamé para que viniese anoche. Era una de
esas urgencias en mitad de la noche. A Luke le costaba
trabajo respirar y yo estaba preocupada y no sabía qué
otra cosa hacer. Él… bueno, antes de marcharse… nos
besamos. Fue… genial. Simplemente genial. Pero hoy
me ha dicho que fue un error. Ha actuado como si fuera una experiencia terrible que deberíamos fingir que
no ha pasado. Supongo que su reacción me ha dolido
más de lo que pensaba. Me he pasado, y no es justo.
No creo todas esas cosas que he dicho. Bueno, al principio sí las creía. Fue un poco maleducado conmigo
después del accidente de Luke, me trató como si fuera
culpa mía. Supongo que, en cierto modo, lo fue, pero
me molestó. Desde entonces hemos estado bien, salvo
hace unos minutos en mi habitación.

Laura se quedó callada durante unos segundos mientras asimilaba toda la información. Después habló con el sentido común que a Caidy tanto le gustaba.

—A lo largo de las últimas semanas, cuando ha estado alojado en el hotel, he tenido la oportunidad de hablar con la señora Michaels —dijo—. Me ha contado algunas cosas de él. Probablemente más de las que debería. Ten paciencia con él, ¿de acuerdo? Ha pasado unos años difíciles. Al parecer la muerte de su esposa fue horrible.

—Me dijo que murió por complicaciones con la diabetes.

—¿Y también te dijo que estaba embarazada cuando ocurrió?

—No. Eso no.

—Al parecer entró en un coma diabético mientras conducía y se estrelló contra un árbol. El bebé murió con ella. Fue un milagro que Ava y Jack no estuvieran en el coche también. Estaban con sus abuelos. Según la señora Michaels, los padres de su difunta esposa le culpan por la muerte de su hija y de su nieto y han hecho todo lo posible por separar a Ava y a Jack de él. Esa es la razón principal por la que vino aquí, creo. Para poner distancia entre ellos e intentar salvar a su familia.

Hizo una pausa y le apretó el brazo a Caidy.

—Creo que le vendría bien una amiga.

—Gracias por contármelo. Encontraré la manera de disculparme. Pero ahora no, ¿de acuerdo? Ahora tengo doce personas a las que alimentar.

Laura le dio un abrazo.

—Sé que lo harás. Disculparte, quiero decir. Eres una buena persona, Caidy. Alguien a quien me enorgullece llamar hermana. Solo tengo una pregunta más, y es importante. Quiero que lo pienses bien antes de responderme.

—¿De qué se trata?

—Además de ser maleducado y arrogante, ¿cómo besa el doctor Caldwell?

A pesar de todo, Caidy no pudo evitar soltar una carcajada.

—Deja que te lo explique de este modo. Anoche, a Luke, no era al único al que le costaba respirar.

Laura sonrió, lo cual le infundió algo de valor. Al menos el suficiente para agarrar la fuente con el asado y entrar en el comedor con la cabeza alta, preparada a enfrentarse a la que podría ser la cena más bochornosa de su vida.

La cena no fue la pesadilla que había esperado.

Para cuando llegó a la mesa, la única silla que quedaba libre estaba al otro extremo del lugar ocupado por Ben, entre Ridge y Destry.

Estaba hablando con sus hermanos y con Becca cuando ella se sentó. No la miró, para su tranquilidad. Después de que Ridge bendijera la mesa, todos empezaron a hablar a su alrededor. Caidy pasó la comida en silencio, hasta que Destry, Gabi y Ava le preguntaron sobre qué edad había empezado a usar maquillaje.

—Creo que tenía unos trece o catorce cuando empecé a usar algo que no fuera brillo de labios. Aún os quedan unos años, chicas.

—Yo ya estoy preparada —declaró Gabi.

—Yo también —aseguró Destry.

—Mi abuela me dejaba usar sombra de ojos y pintalabios en casa cuando vivíamos en California —dijo Ava—. Solo podía usarlo cuando estaba allí o cuando íbamos de compras o a comer. Tenía que quitármelo antes de irme para que mi padre no se enfadara, lo cual era una estupidez.

—¡Yo nunca podría hacer eso! —exclamó Destry.

—Mi abuela decía que no importaba.

Caidy se quedó mirándolas a las tres.

—Os voy a dar una regla bastante buena. Si no podéis usarlo, probarlo o decirlo delante de vuestro padre, probablemente no deberíais usarlo, probarlo o decirlo cuando él no esté delante.

—Totalmente de acuerdo —intervino Ridge—. ¿Has oído, Des?

Las niñas se rieron y empezaron a hablar de algo del colegio, y eso hizo que Caidy prestara atención a la conversación que estaban manteniendo los gemelos y Ben al otro lado de la mesa.

—Bueno, doctor Caldwell, ¿qué le parece Pine Gulch? —preguntó Trace.

—Ben. Por favor, llámame Ben. Hasta ahora nos gusta mucho vivir aquí. El pueblo parece estar lleno de gente muy amable. Al menos en su mayor parte.

No la miró al decir aquello, pero Caidy se estremeció de todos modos, sabiendo que estaba hablando de ella.

—Es de la menor parte de la que has de preocuparte —dijo Taft con un guiño—. Podría darte los nombres de algunas personas del pueblo de las que deberías mantenerte alejado. Estoy seguro de que Trace conoce a muchas más.

—Me imagino —murmuró Ben—. Habrá mucho imbécil arrogante y maleducado.

—Será mejor que te lo creas —dijo Taft.

Becca se aclaró la garganta.

—¿Puedes pasarme el puré? —le preguntó a Ben.

—Claro, si es que queda —levantó el cuenco donde Caidy solía servir el puré de patatas; un cuenco de
cerámica con flores que siempre había sido el favorito
de su madre.

Por primera vez desde que se sentara a la mesa,
Ben miró hacia ella, aunque tenía la mirada puesta encima de su cabeza.

—Todo está delicioso —comentó—. ¿Verdad, Ava?
¿Jack?

—Excelente —respondió Jack—. ¿Puedo tomar otro
panecillo? ¡Con mermelada! Me encantan las fresas.

Ben agarró uno de los bollos en forma de trébol y
untó mermelada encima. Cuando se lo entregó a su
hijo, Jack lo devoró en tres bocados y se dejó la boca
manchada de mermelada. Ben agarró su servilleta y le
limpió la cara. Ella observó la escena por el rabillo del
ojo y sintió un vuelco en el corazón.

Ben levantó la cabeza en ese instante y la pilló mirando. Sus miradas se encontraron durante unos segundos mientras los demás seguían hablando a su alrededor. Entonces Ridge le hizo otra pregunta, él apartó la
mirada y rompió el contacto.

—Me encanta el cuadro que hay colgado sobre la
chimenea —comentó Ben en un momento en el que
cesaron todas las conversaciones—. Veo que el apelli-
do del artista es Bowman. ¿Algún pariente?

El resto de la mesa quedó en silencio, incluso los
niños. Nadie parecía dispuesto a responderle, salvo
Ridge.

—Sí —contestó al fin su hermano mayor—. Es un
pariente. Era nuestra madre.

Ben miró a su alrededor y debió de darse cuenta
del cambio en el estado de ánimo.

—Admito que no sé mucho de arte, pero me gusta

mucho ese cuadro. No sé si son los caballos del primer plano o las montañas o las cortinas de la ventana de la cabaña, pero, siempre que apartó la mirada de él unos segundos, algo me hace mirar de nuevo. Eso es auténtico talento.

—Era brillante —murmuró Caidy.

Ben la miró y ella vio una compasión inesperada en sus ojos. Eso hizo que se sintiera más culpable. No se merecía su compasión, no después de las cosas que había dicho sobre él.

—Robaron varios de sus cuadros hace once años —dijo Trace—. Desde entonces, hemos hecho lo posible por recuperar lo que podamos. Hemos contratado investigadores para que los localicen. Este lo encontraron hace unos tres años en una galería de la zona de Sonoma, en California.

—Siempre fue el favorito de Caidy —intervino Ridge—. Encontrarlo de nuevo fue como un milagro.

Aquello hizo que todos volvieran a mirarla. ¿Acaso nadie además de Laura y Becca palpaba la tensión en la habitación? Le parecía que no.

Para su tranquilidad, Laura intervino y desvió la atención.

—Bueno, doctor Caldwell, sus hijos y usted van a venir a dar un paseo en trineo después de cenar, ¿verdad?

—¡Paseo en trineo! —exclamó Jack, y Alex y él chocaron los cinco para mostrar su entusiasmo.

—No sé —comentó Ben—. Siento que ya os hemos invadido bastante.

—Oh, tenéis que venir —exclamó Destry.

—¡Sí! —agregó Gabi—. ¡Va a ser asombroso! Cantaremos villancicos y tomaremos chocolate caliente. ¡Por favor, venid con nosotros!

—No iremos lejos —prometió Ridge—. Solo unos tres kilómetros por el cañón. No creo que tardemos más de una hora.

—Resistirse es inútil —dijo Taft con una sonrisa—. Será mejor que te rindas.

Ben se rio.

—En ese caso, de acuerdo.

Los niños gritaron entusiasmados. Caidy deseó poder compartir ese entusiasmo. Lo único positivo del asunto era que, con la presencia de Ben, probablemente ya no fuese necesario que ella les acompañase. Ridge ya no podría decir que no tenían suficientes adultos. Se inventaría alguna excusa para quedarse en casa y dejaría que el resto disfrutara de toda la alegría navideña.

Aun así tendría que pensar en una manera de disculparse con él, pero en aquel momento aceptaría cualquier indulto que pudiera encontrar, aunque fuera temporal.

Capítulo 9

TRAS recoger la mesa, empezaron a llegar las demás amigas de las niñas.

Caidy metió en el horno las bandejas de galletas que Destry y ella habían dejado preparadas, sus hermanos salieron a enganchar los caballos al carro de heno y los demás empezaron a ponerse los abrigos. Cuando sacó las galletas del horno, Caidy recorrió la casa recopilando todas las mantas que pudo encontrar.

Mientras bajaba las escaleras con un montón de mantas, vio por los ventanales que la nieve caía con menos fuerza. La luz de la luna asomaba por entre las nubes y hacía que todo se volviera azulado.

Era asombroso desde dentro. Podía imaginarse lo bonito que sería ir montada en el carro, con el aire frío en la cara y las risas de los niños a su alrededor.

Casi sintió no ir con ellos. Casi.

Siguió bajando las escaleras e hizo todo lo posible

por evitar el contacto visual con Ben, que estaba ayudando a Jack a ponerse las botas.

—Paseo en trineo. Paseo en trineo. Paseo en trineo —canturreaba Maya, envuelta en un traje de nieve rosa con flores naranjas.

Caidy no pudo evitar reírse.

—Vas a pasártelo muy bien, bichito —le dijo antes de darle un beso en la nariz. Quería a todos los niños de la familia, pero la dulce y vulnerable Maya ocupaba un lugar especial en su corazón.

—Ven tú también —dijo Maya.

—Oh, cariño. Yo no voy. Estaré aquí cuando regreséis.

—¿Qué quieres decir con que no vienes? Claro que vienes —dijo Ridge—. ¿Dónde está tu abrigo?

—En el armario. Y allí se queda. Supongo que alguien tendrá que quedarse aquí. Mantener el fuego encendido y todo eso.

—No te preocupes por eso —contestó Becca—. Ya me he encargado.

Fue entonces cuando Caidy se dio cuenta de que su cuñada no llevaba tampoco el abrigo puesto.

—¿Por qué no vienes tú? —le preguntó Ridge.

—Mañana tengo juzgado y tengo que trabajar un poco antes. Además, para ser sincera, ir dando tumbos de un lado para otro en un carro no creo que sea lo más adecuado para… bueno, para el bebé.

Todos se quedaron mirándola durante unos segundos.

—¿Un bebé? —preguntó Laura—. ¿Vas a tener un bebé?

Becca asintió y Trace la abrazó con fuerza antes de darle un beso en la coronilla.

—¿Cuándo? —preguntó Caidy.

—En junio —declaró Gabi con orgullo—. ¡Me moría por contárselo a todos! He tenido la boca cerrada, ¿ves, Trace? Decías que no podía. ¡Ja!

—Lo has hecho muy bien —dijo Trace—. Íbamos a contarlo durante la cena, pero no ha surgido el momento adecuado.

—Nunca hay un mal momento para una noticia así —intervino Ridge—. Enhorabuena. Otro Bowman. Justo lo que el mundo necesita.

Pasaron los siguientes minutos entre abrazos, besos y buenos deseos. Incluso Ben les dio la mano y un beso en la mejilla a Becca, a pesar de haberla conocido esa misma tarde.

—Es una noticia maravillosa, ¿verdad? —le preguntó Caidy a Maya mientras la abrazaba—. Vas a tener un nuevo primo.

—Me gustan los primos —respondió Maya.

—A mí también, bichito.

Cuando Caidy logró atravesar la multitud, le dio un abrazo a Becca.

—Estoy deseando volver a ser tía. Me alegro mucho por los dos.

—Gracias, cariño —respondió Becca devolviéndole el abrazo.

—Razón de más para quedarme aquí y hacerte compañía, por si necesitas algo.

—Eres el colmo de la amabilidad, Caidy —dijo su cuñada—. O eso, o estás intentando evitar a cierto veterinario arrogante y maleducado.

—Bueno, también eso —admitió Caidy.

—Lo siento, cariño. Me encantaría ayudarte, pero creo que Ridge necesitará tu ayuda con tantos niños. Además, no creo que sea buena idea seguir evitándolo.

—¿Tanto se me nota?

—Un poco. Probablemente Laura y yo seamos las únicas que se han dado cuenta. Quizá también Ben.

Caidy respiró profundamente. Becca tenía razón. Seguramente Ridge necesitara su ayuda.

—No me gusta ser cobarde —murmuró.

—No es más que un paseo. Una hora de tu vida. Podrás soportarlo. Has pasado cosas peores.

—No quiero dejarte sola.

—Me vendría bien un poco de paz, si te digo la verdad. Vete, Caidy.

—Por excitante que resulte la noticia, tenemos que irnos —declaró Ridge—. Vamos a cargar el carro.

Las chicas chillaron con fuerza y Maya se tapó las orejas con cara de susto.

Caidy le dirigió una sonrisa tranquilizadora.

—No te preocupes por esas niñas tontas. Solo quieren ir a divertirse.

—Yo también. Tú vienes.

Ella suspiró y se resignó a su destino.

—Sí, reina Maya.

La niña se rio con dulzura mientras Caidy sacaba su abrigo del armario y se ponía las manoplas y un bonito gorro hecho a mano por Emery Kendall Cavazos que había ganado en el intercambio de regalos de la fiesta navideña de los Amigos de la Biblioteca.

—Date prisa, Caid —le dijo Taft—. No tenemos toda la noche. Cuanto antes nos vayamos, antes podremos quitárnoslo de en medio y volver para ver el partido de baloncesto. Vamos, Maya.

—Yo me quedo con la tía —dijo la niña.

—Yo me encargo de ella —le dijo Caidy a su hermano.

—¿Estás segura?

—Sí. Ya vamos. Casi estoy lista.

Taft se marchó y ella terminó de ponerse las botas. Después le dio la mano a Maya y se dirigió hacia el vagón de heno.

Los caballos patalearon y relincharon con el aire frío, que olía a humo y a nieve. Qué noche tan bonita. Perfecta para un paseo en trineo. Bueno, no era oficialmente un paseo en trineo, pues el carro tenía ruedas, no esquís, pero no creía que ninguno fuese a quejarse.

Ridge había rodeado el carro con fardos de paja a modo de asientos. Por desgracia, todos estaban ya sentándose cuando se acercó al carro, y vio que el único sitio que quedaba libre para Maya y para ella estaba en la parte trasera; justo al lado de Ben.

—Tía, arriba —dijo Maya.

¿Cómo iba a poder superar aquello? Maya no pesaba mucho, pero Caidy no creía que pudiera subir la escalerilla con ella en brazos, y tampoco sabía si la niña podría subir sola los peldaños.

—Si quieres auparla, yo puedo ayudarla desde aquí —comentó Ben, que obviamente se había dado cuenta de su situación.

Caidy tomó a Maya en brazos y se la entregó. Sus brazos se rozaron cuando él tiró de la niña para subirla al carro. ¿Sintió él también las chispas entre ellos, o sería solo su imaginación? Caidy subió las escaleras y se quedó de pie un momento, deseando poder sentarse delante de Ridge. Por desgracia él ya tenía a Alex y a Jack sentados con él.

—Siéntate, Caidy, o te vas a caer cuando arranque Ridge —le ordenó Taft.

Al no quedarle más remedio, se sentó en el mismo fardo que Ben. Al menos Maya iba sentada entre ellos.

Ridge se dio la vuelta para asegurarse de que todos sus pasajeros estuvieran bien sentados y después azuzó a los caballos. Partieron de la entrada acompañados del tintineo de las campanillas que colgaban de los arneses.

—¡Vamos, caballitos! ¡Vamos! —exclamó Maya. Caidy le dirigió una sonrisa y, al levantar la cabeza, vio que Ben también estaba sonriendo a la niña. El corazón le dio un vuelco al ver la ternura de su expresión. Le había llamado maleducado y arrogante, y sin embargo allí estaba, tratando a Maya, con su hermosa sonrisa y su síndrome de Down, con una dulzura sobrecogedora.

Tenía que decir algo. Era el momento perfecto. Apretó los dedos dentro de sus manoplas y se volvió hacia él.

—Mira… siento lo de antes. Lo que he dicho. No era cierto, en absoluto. Solo estaba siendo estúpida.

—¿Qué? —gritó él, y se inclinó para oír lo que decía por encima del viento y de las risas de las niñas.

—He dicho que lo siento —ella habló también más alto, pero en ese momento todas las niñas empezaron a cantar *Jingle Bells* con el tintineo de las campanas de los caballos.

—¿Qué? —Ben acercó más la cabeza a la suya, y ella no supo qué hacer más que inclinarse también y hablarle al oído, aunque se sentía completamente ridícula. Quería decirle que se olvidara de todo. Pero, ya que había llegado hasta allí, sería mejor terminar.

De cerca olía muy bien. No pudo evitar notar aquel jabón salvaje que había percibido cuando estaban besándose…

—He dicho que lo sentía —le dijo al oído—. Lo que les he dicho a mis cuñadas antes en la cocina. Estaban burlándose de mí, sobre ti… y yo estaba siendo una estúpida. Siento que lo oyeras. No lo decía en serio.

Ben volvió la cabeza hasta que su cara estuvo a pocos centímetros de la de ella.

—¿Nada de ello?

—Bueno, eres bastante arrogante —respondió ella.

Para su sorpresa, él se rio y aquel sonido le produjo un escalofrío que recorrió su espalda.

—Puede ser —admitió.

—¡Canta! —ordenó Maya cuando las chicas empezaron a cantar *Rudolph the Red Nosed Reindeer*.

Caidy se rio, sentó a la niña en su regazo y agradeció la pequeña distracción para ignorar aquella atracción tan inapropiada hacia un hombre que le enviaba más señales equívocas que un semáforo roto.

Se quedó más desconcertada aún cuando Ben comenzó a cantar con Maya y con las chicas.

Ella tuvo que darse la vuelta y concentrarse en los hogares por los que pasaban, en las luces de Navidad que brillaban bajo la luz de la luna.

No era una mala manera de pasar la noche. incluso con los villancicos, estaba rodeada de la familia a la que quería, de un paisaje precioso y de la serenidad de una noche invernal. Se alegraba de haber ido.

Después de eso, las chicas comenzaron a cantar *Silent Night*. Ella se dedicó a tararear suavemente mientras que Maya mezclaba las palabras, pero hacía lo posible por seguir el ritmo. En mitad de la canción, Ben volvió a inclinarse hacia ella.

—¿Por qué no cantas? —le preguntó en un tono que le provocó escalofríos.

Ella se encogió de hombros, incapaz de responder. No estaba segura de poder contárselo, y menos en un carro rodeada de su familia y de las amigas de Destry.

—En serio —insistió Ben, y se apartó un poco cuando la canción terminó y pudieron conversar más fácilmente—. ¿Tienes alguna objeción religiosa o ideológica a las canciones navideñas que yo deba saber?

—No. Es solo que… yo no canto.

—No le hagas caso —dijo Taft. Debía de haber hablado más alto de lo que pretendía si su hermano había podido oírla—. Caidy tiene una voz preciosa. En la escuela y en el coro de la iglesia solía cantar solos. En una ocasión incluso cantó ella sola el himno nacional en un partido de fútbol del instituto.

Dios. Ella apenas se acordaba. ¿Cómo podía recordarlo Taft? Cuando ella estaba en el instituto, él era bombero forestal y viajaba por el oeste con su escuadrón, aunque ahora recordaba que, en esa ocasión, había ido a visitar a Laura y había aprovechado para ir a oírla cantar en el partido de fútbol.

De pronto recordó lo nerviosa que se había puesto al agarrar el micrófono y ver a toda la multitud allí reunida. A pesar de sus horas ensayando con su profesor de canto y con el director del coro, el pánico se había apoderado de ella y se había olvidado por completo de las primeras palabras; hasta que había mirado hacia las gradas y había visto a sus padres y a Taft con Laura. Entonces la calma había invadido su cuerpo, había borrado el pánico y le había permitido cantar perfectamente.

Algunos meses más tarde, sus padres habían muerto por su culpa y todas las canciones en su interior habían muerto con ellos.

—Ya no canto —respondió con la esperanza de no tener que dar más explicaciones.

Ben se quedó mirándola. El carro dio un bote debido a un surco del camino y sus hombros se chocaron.

Ella podría haberse apartado lo suficiente para no tocarse, pero no lo hizo. En su lugar, apoyó la mejilla en el pelo de Maya y se entretuvo tarareando *O Little Town of Bethlehem*, contemplando las pocas estrellas que se veían a través de la luna mientras esperaba a que terminara el paseo.

Ben sentía que había algo más detrás de sus palabras.

Algo les pasaba a los Bowman con la Navidad. Se fijó en que, aunque Laura y las niñas cantaban alegremente, los hermanos de Caidy se mostraban tan reticentes como ella. El jefe de policía y el de bomberos a veces cantaban alguna estrofa suelta, y Caidy tarareaba de vez en cuando, pero ninguno se mostraba entusiasmado con las canciones.

En alguna ocasión a lo largo de la velada había notado cierto aire de tristeza en la familia.

Pensó en la preciosa obra de arte colgada en el comedor y recordó que los Bowman se habían retraído cuando había preguntado por el artista.

Su madre. ¿Qué le habría pasado? Y era evidente que el padre tampoco estaba. Sintió curiosidad, pero no supo cómo preguntar.

La luna asomó por detrás de una nube y, bajo la luz de la luna, Caidy le pareció increíblemente hermosa, con esos rasgos tan delicados y esa boca tan deseable.

No había dejado de pensar en aquel beso en todo el día, porque en realidad no entendía qué había pasado. No era de los que robaban un beso a una mujer hermosa, y menos guiado por un impulso así. Pero no había podido resistirse.

Mientras la rodeaba con los brazos, la había deseado, claro, pero también había sentido algo más, una ternura completamente inesperada. Le parecía que Caidy utilizaba su personalidad puntillosa a modo de defensa contra el mundo, para mantener alejadas posibles amenazas antes de que pudieran acercarse demasiado.

Recordó las palabras hirientes que les había dicho a sus cuñadas justo cuando él había entrado en la cocina.

¿Por qué no habría vuelto a salir sin que ninguna de ellas se diera cuenta de su presencia? Debería haberlo hecho. Habría sido lo correcto, pero algo le había instado a provocarla, a dejarle saber que no se libraría de él tan fácilmente.

Caidy se había disculpado, había dicho que no hablaba en serio. ¿Por qué entonces lo había dicho?

Se ponía nerviosa con él. Ben había observado durante la cena que Caidy era simpática y amable con todos, pero a él le ignoraba. Era una situación incómoda y no sabía cómo sentirse. Igual que no sabía cómo enfrentarse a la atracción que sentía por ella.

A veces deseaba retirarse a su vida de viudo y padre soltero. Pero en cambio, otras veces ella le recordaba que, bajo esos papeles, seguía siendo un hombre.

Brooke llevaba muerta dos años. Siempre lamentaría su pérdida. En cierto modo, se había acomodado en la pena. El traslado a Idaho lo había sacudido todo. Al aceptar el trabajo, pretendía crear una nueva vida para los niños, lejos de ciertas influencias que consideraba dañinas. Nunca imaginó sentirse atraído por una mujer preciosa con secretos y tristeza en los ojos.

Era evidente que a Caidy le gustaban los niños y se

le daban bien. ¿Por qué no tendría un marido y varios hijos?

No era asunto suyo. Su perro era paciente suyo y él estaba temporalmente alquilado en el rancho, pero ahí era donde acababa su relación. Sería idiota si buscara algo más. Eso no le impedía ser consciente de ella cada vez que el movimiento del carro hacía que sus hombros se chocaran.

—Brrr. Tengo frío —dijo Maya.

—Yo también —respondió Caidy—. Pero mira. Ridge ya nos lleva a casa.

Ben miró a su alrededor. Era cierto, su hermano tenía el recorrido muy pensado. Cuando las niñas empezaron a quejarse del frío, Ben se dio cuenta de que los caballos estaban atravesando la entrada del rancho River Bow.

—¿No más caballitos? —preguntó Maya.

—Hoy no, bichito —Taft estiró los brazos y su hijastra se lanzó hacia ellos—. Pero te prometo que pronto volveremos a dar otro paseo.

—Le encantan nuestros caballos —dijo Caidy con una risa de ternura—. Sobre todo los grandes, por alguna extraña razón.

En vez de dirigirse hacia la casa principal, el hermano de Caidy guio a los caballos hacia la casa que él tenía alquilada. Detuvo el carro en la puerta.

—Mira qué bien. Os traemos hasta la puerta —dijo Caidy. Finalmente le miró a los ojos y sonrió. Ben deseaba quedarse allí, bajo el frío, contemplando aquellos ojos verdes durante una hora o dos. Pero logró devolverle la sonrisa y se limitó a bajar del carro y a recoger a sus hijos.

—Vamos. Jack, Ava.

—¡Yo no quiero bajar! ¿Por qué los demás pueden

seguir montados? —preguntó Jack con voz temblorosa.

—Solo durante un minuto más —le prometió Ridge—. Nos vamos directos a la casa y entonces el paseo se habrá acabado. Los caballos están cansados y necesitan dormir.

—Y tú también, hijo —dijo Ben—. Vamos.

Para su tranquilidad, Jack obedeció y saltó a sus brazos. Era evidente que Ava deseaba quedarse con las demás niñas, pero finalmente se despidió de ellas.

—Te veré mañana en el autobús —le dijo a Destry.

—Genial. Traeré el libro del que estábamos hablando.

—De acuerdo. No lo olvides.

Ava volvió a despedirse y bajó del carro sin su ayuda.

—Gracias por dejarnos ir con vosotros —les dijo Ben a todos en general, aunque sus palabras fuesen dirigidas a Caidy—. Ava y Jack se lo han pasado de maravilla.

—¿Y tú? —preguntó ella.

Aún no la conocía lo suficientemente bien como para interpretar su estado de ánimo.

—Me lo he pasado bien —respondió él. Le sorprendía ligeramente darse cuenta de que era cierto. No disfrutaba de muchas cosas desde la muerte de su esposa. ¿Quién habría imaginado que disfrutaría de un paseo en carro con un grupo de niñas ruidosas, con Caidy y con sus hermanos, que probablemente le hubieran tirado del carro de haber sabido que había besado a su hermana la noche anterior?—. Sobre todo me ha gustado el chocolate caliente con menta.

—Me alegro —dijo ella—. El de menta también es mi favorito.

—Buenas noches.

Se despidió de todos con la mano y llevó a Jack a casa, preguntándose qué diablos iba a hacer con Caidy Bowman. Era un misterio intrigante, una mujer llena de espinas y de dulzura, una mezcla de vinagre y azúcar, y se sentía fascinado con ella. Mucho más de lo que debía.

Capítulo 10

TRAS el paseo en carro, Caidy se propuso mantenerse alejada de la casa del capataz durante los próximos días. No tenía razón alguna para ir de visita. Ben, los niños y la señora Michaels estaban instalados y no necesitaban ayuda con nada.

Si se quedaba de pie junto a su ventana, contemplando la noche y las luces parpadeantes que veía a través de los árboles… bueno, eso era asunto suyo. Se decía a sí misma que solo estaba disfrutando de la paz y de la tranquilidad de aquellas noches de diciembre, pero eso no explicaba la inquietud que parecía crecer en su interior.

Desde luego no tenía nada que ver con cierto hombre moreno ni con las mariposas que le provocaba en el estómago.

Sin embargo no podía pretender evitarlo para siempre. El miércoles, cuando quedaba menos de una semana para Navidad, se despertó inquieta tras un sinfín de sueños extraños. Aquella sensación de inquietud le siguió mientras caminaba hacia el establo con Destry para dar de comer y de beber a los caballos.

No logró entenderlo hasta que no terminaron en el establo y regresaron a la casa para desayunar antes de que llegase el autobús del colegio. Cuando entraron en la cocina y oyó el ladrido procedente de la caja, se acordó de pronto.

Aquel día tenía que llevar a Luke al veterinario para que le quitaran los puntos. Se detuvo en seco en la cocina y sintió la angustia en el pecho. Maldición. Supuso que no podía seguir esquivando a Ben toda su vida. Aunque unos pocos días no estarían mal. ¿Sería demasiado tarde para concertar una cita con el veterinario de Idaho Falls?

—¿Qué sucede? —preguntó Destry—. Tienes una cara rara. ¿Has visto un ratón?

—¿En mi cocina? —preguntó ella con una ceja levantada—. ¿Me tomas el pelo? No. Es que acabo de acordarme de algo… desagradable.

—El reverendo Johnson dijo en catequesis que la mejor manera de librarte de un pensamiento negativo es sustituirlo pensando en algo bueno.

La niña se sirvió los copos de avena en un tazón y alcanzó el hervidor que Caidy siempre ponía en marcha antes de salir al establo.

—Yo intento hacer eso cada vez que pienso en mi madre —añadió.

Dejó de pensar en Ben de inmediato y se quedó mirando a su sobrina. Destry nunca hablaba de su madre. Caidy recordaba solo unas pocas veces en las que había salido a relucir el nombre de Melinda.

—¿Te ocurre con frecuencia? —le preguntó—. Lo de pensar en tu madre, quiero decir.

Destry se encogió de hombros y añadió una cucharada de azúcar a su avena.

—En realidad no. Apenas la recuerdo. Pero pienso en ella, sobre todo en Navidad. Ni siquiera sé si está viva o muerta. Gabi al menos sabe que su madre está viva, pero se comporta como una imbécil.

Esa era la palabra que mejor describía a la madre de Gabi y de Becca. Era una egoísta irresponsable que les había dado a sus hijas una infancia llena de inseguridades y de caos.

—¿Le has preguntado a tu padre por tu madre?

—No. No le gusta mucho hablar de ella. En realidad no recuerdo muchas cosas sobre ella. Era muy pequeña cuando se marchó. No era muy simpática, ¿verdad?

Melinda era lo contrario a simpática. Les había engañado a todos al principio, sobre todo a Ridge. Les había parecido dulce, necesitada y completamente enamorada de él, pero el tiempo había ido mostrando otra cara bien distinta.

—Tenía… problemas —respondió Caidy—. No creo que tuviera una vida muy feliz cuando tenía tu edad. A veces las cosas malas del pasado hacen que a una persona le cueste ver las cosas buenas que tiene ahora. Me temo que ese era el problema de tu madre.

—Es una pena —contestó Destry tras una pausa—. Yo creo que nunca podría abandonar a mi hijo, pasara lo que pasara.

—Yo tampoco podría. Y sí, tienes razón. Es una pena. Tomó malas decisiones. Por desgracia, tú tuviste que sufrirlas. Pero ahora has de mirar las cosas buenas que tienes. Tu padre sigue aquí. Te quiere más que a nada y te lo ha demostrado siempre. Yo estoy aquí, y también los gemelos y sus familias. Tienes mucha gente que te quiere, Des. Si tu madre no pudo ver lo maravillosa que eres, ese es su problema, no el tuyo. No lo olvides nunca.

—Lo sé. Lo recuerdo. Al menos la mayoría del tiempo.

Caidy se acercó y le dio un abrazo a su sobrina. Des apoyó la cabeza en su hombro durante unos segundos antes de volver a su desayuno.

Tras terminar de desayunar, Caidy tuvo el tiempo justo de llevar a Destry a la parada del autobús, que estaba a unos cuatrocientos metros de la casa.

—Ava y Jack no están aquí —comentó su sobrina—. ¿Crees que se habrán olvidado de la hora a la que viene el autobús? Tal vez deberíamos haber pasado a recogerlos.

—Seguro que la señora Michaels sabe a qué hora pasa el autobús —respondió Caidy—. Llevan aquí ya unos días. Tal vez hoy se hayan ido con su padre.

—Puede ser —convino Destry, aunque aún parecía preocupada.

Caidy se dio cuenta de que aquella mañana podría haber llevado a Des al colegio de camino al veterinario. No lo había pensado hasta ese momento, cuando el autobús apareció al final de la calle y se detuvo frente a ellas.

Cuando su sobrina se marchó, ella regresó a la casa y llevó el cajetín del perro al coche. Después regresó a por el perro, que en los últimos días se movía con más facilidad.

—Luke, amigo, no me lo estás poniendo fácil. Si no fuera por ti, podría fingir que ese hombre no existe.

Tal vez Ridge pudiera llevar al perro al veterinario, pensó mientras lo metía con cuidado en el cajetín.

La idea resultaba tentadora. Por mucho que quisiera pedirle el favor, sabía que no podía. Aquello formaba parte del esfuerzo por demostrarse a sí misma que no era una auténtica cobarde.

Durante un segundo, al sentarse al volante, una imagen fugaz cruzó por su memoria; ella escondida bajo la estantería de la despensa, contemplando la luz que se filtraba bajo la puerta y escuchando la respiración entrecortada de su madre.

Ignoró esos recuerdos.

Cómo odiaba la Navidad.

Estaba de mal humor cuando aparcó frente a la clínica. Estaba preocupada porque Destry echara de menos a su madre, y además ella echaba de menos a la suya también. Por no hablar de que no le hacía gracia entrar en la clínica y enfrentarse a Ben de nuevo.

Aquello era ridículo. Podría soportar una revisión de quince minutos con el veterinario, sin importar lo sexy que fuera.

Con esa determinación en mente, se dirigió hacia el maletero del coche con la correa de Luke. Pero los border collies eran perros listos, y el animal sentía la misma reticencia que ella a entrar en la clínica. Se resistió a que le pusiera la correa y retorció la cabeza de un lado a otro.

Caidy imaginaba que aquel edificio representaba para él el miedo y el dolor. Lo entendía perfectamente, pero eso no cambiaba el hecho de que tendría que entrar de todos modos. Si ella entraba, él entraba.

—Vamos, Luke. Tranquilo. Vamos, chico.

—¿Algún problema?

El corazón se le aceleró al oír aquella voz familiar. Se dio la vuelta y allí estaba él.

—Parece que tienes un paciente un tanto reticente —respondió ella.

—Es algo común. Te he visto desde la ventana y pensé que sería algo de eso.

—No quería tirar de él por miedo a hacerle daño.

—¿Puedo? —preguntó Ben señalando el cajetín.

—Desde luego.

Se quitó de en medio, él se acercó y se asomó al cajetín.

—Hola, Luke. ¿Cómo estás? —habló con una voz suave y calmada que le provocó un escalofrío en la columna. Si alguna vez utilizara esa voz con ella, se volvería un amasijo de hormonas descontroladas.

—¿Quieres entrar? Ese es mi chico. Vamos. Sí. No tienes nada de lo que preocuparte.

Luke se rindió al encanto de aquella voz y se quedó quieto mientras Ben le ponía la correa y lo ponía con cuidado en el suelo.

—Se mueve bien. Eso es buena señal.

Luke se limitó a levantar una pata contra el neumático del coche, por si acaso otras criaturas de la zona se preguntaban a quién pertenecía. Ben no pareció sorprenderse. Sin duda sería algo común en su trabajo.

Cuando Luke terminó, Ben los condujo hacia la puerta lateral que tantas veces había utilizado ella cuando trabajaba para el doctor Harris.

—Vayamos directos a la consulta. He tenido un descanso entre pacientes esta mañana y estoy a vuestra disposición. Ya nos encargaremos después del papeleo.

Caidy se dejó caer en una silla mientras él empezaba a examinar al perro. Intentó ignorar en todo momento aquella voz suave y el trato amable que le daba al animal. En su lugar, se concentró en la lista de cosas que tenía que hacer antes de Nochebuena, para lo que quedaba menos de una semana.

—Todo parece estar bien —anunció Ben finalmente—. Progresa mucho más rápidamente de lo que esperaba.

—Buenas noticias. Gracias.

—Si te parece bien, me gustaría dejarle los puntos unos días más. Intentaré pasarme durante las fiestas para quitárselos.

—No quiero que te tomes tanta molestia. Probablemente pueda quitárselos yo. Ya lo he hecho antes.

—Sí que tienes experiencia —comentó él.

—Casi todos los que crecen en un rancho tienen los conocimientos básicos de veterinaria. Es parte de la vida. Cuando trabajé con el doctor Harris fui un poco más allá, nada más.

—Si alguna vez quieres otro trabajo, me vendría bien un técnico con experiencia.

Eso sería un desastre. Apenas podía pensar con claridad cuando estaba con él. No quería ni imaginarse el caos que podría causar intentando ayudarle en un entorno profesional.

—Lo tendré en cuenta.

—De hecho, necesito un favor. Un consejo, en realidad. Tú conoces a casi todo el pueblo, ¿verdad?

—Más o menos. Últimamente ha llegado gente nueva, pero estoy segura de que los conoceré.

—¿Conoces a alguna niñera?

—¿Le pasa algo a la señora Michaels?

—No. A ella no —respondió él con un suspiro—, pero tiene una hija casada en California que acaba de tener un bebé.

—Oh, eso es fantástico. Recuerdo que mencionaste que su hija estaba embarazada.

—Le quedaba un mes más, pero al parecer se puso de parto ayer y ha tenido al bebé esta mañana. El bebé está en la UCI de recién nacidos. Anne quiere estar allí, cosa que entiendo. Está intentando encontrar vuelo para hoy, para poder estar allí cuando su hija regrese a casa del hospital. Y además le gustaría quedarse a pasar las fiestas allí.

—Comprensible.

—Lo sé. Lo comprendo, créeme. Pero eso hace que mi vida se complique un poco, al menos de forma temporal. Los niños pueden venir aquí después de clase. No me importa tenerlos por aquí. Pero, según Ava, estar en la clínica es «un auténtico aburrimiento». Además Jack suele encontrar problemas allí donde va, algo que puede resultar un inconveniente en una clínica llena de animales enfermos.

—Entiendo que pueda suponer un problema.

—Tengo que encontrar a alguien al menos para este sábado. Tenemos citas en la clínica todo el día, porque la semana que viene estaremos con horario reducido, y no quiero tenerlos aquí metidos durante diez horas.

—Eso se puede arreglar sin problemas, Ben —respondió ella por impulso—. Ava y Jack pueden venir a nuestra casa después de clase y quedarse con Destry y conmigo. Será divertido.

—No te lo decía como indirecta, lo juro. Sinceramente no se me había ocurrido pedírtelo. Como tú conoces a todo el mundo, pensé que tal vez sabrías de alguien que estuviese dispuesto a ayudar.

—Sí que conozco a algunas personas que cuidan niños. Puedo darte algunos nombres, si lo prefieres. Pero te prometo que tenerlos en casa después de clase no será ningún problema. A Destry le encantará tener compañía e incluso puedo encargarles alguna tarea fácil. Pueden volver en el autobús con Destry el resto de la semana, igual que harían si la señora Michaels estuviera allí. El sábado tampoco es problema. Des y yo estamos preparando galletas de Navidad y nos vendría bien su ayuda.

—No quiero molestarte. Seguro que estás muy ocupada con la Navidad.

—¿Y quién no? No te preocupes por ello, Ben. Si pensara que es demasiada molestia, no me habría ofrecido.

—No sé.

Obviamente se mostraba reticente a aceptar la ayuda. Qué hombre tan testarudo. ¿Pensaba acaso que iba a pedirle algo a cambio? ¿Un beso por cada hora cuidando a sus hijos?

Tentador. Muy tentador…

—Solo intentaba ayudar. Pensé que sería una buena solución a tu problema, además me ayudaría a tener a Destry entretenida antes de Nochebuena, pero no herirás mis sentimientos si prefieres hacerlo de otro modo. Piénsalo y ya me dirás algo.

—No tengo que pensarlo. Tienes razón. Es la solución perfecta. Es que me cuesta aceptar ayuda. Y probablemente me cueste más aceptar tu ayuda, porque las cosas son… complicadas entre nosotros.

—Complicadas. ¿Así es como lo llamas?

—¿Qué palabra usarías tú?

«Tensas. Chispeantes. Estimulantes». No podía decir ninguna de esas palabras, aunque fueran ciertas.

—Supongo que «complicadas» está bien. Pero esto al menos es relativamente fácil, si lo piensas. Me caen bien tus hijos, Ben. No me importa tenerlos conmigo. Jack tiene mucho sentido del humor y estoy segura de que no parará de contarme chistes. Ava es un hueso más duro de roer, sí, pero acepto el desafío.

—Ahora mismo está pasándolo mal. Supongo que es evidente.

—¿Por la mudanza?

—Está enfadada por eso. Por todo. Mis exsuegros le montaron un numerito. Me culpan por la muerte de Brooke y han pasado dos años intentando separar a Ava de mí. A los dos, en realidad, pero Jack es demasiado pequeño para prestarles atención.

—¿Y tienen alguna razón real para culparte? —preguntó ella.

—Creen que sí. Brooke tenía diabetes tipo uno y estuvo a punto de morir al tener a Jack. Los médicos nos dijeron que no volviéramos a intentarlo. Ella estaba decidida a tener un tercer hijo a pesar del peligro. A veces era así. Si quería algo, no veía razón por la que no pudiera tenerlo. Yo no quería arriesgarme a que se quedara embarazada. Tomamos muchas precauciones, o al menos eso pensaba yo. Quería hacerlo permanente, pero, el día que tenía programada mi vasectomía, me dijo que estaba embarazada.

—Oh, no.

—¿Por qué estoy contándote todo esto? —preguntó él pasándose una mano por el pelo.

—Me gustaría pensar que podemos ser amigos, aunque las cosas entre nosotros sean… complicadas.

—Amigos —repitió él con una carcajada—. Muy bien. Supongo que no tengo muchos amigos por aquí.

—Los tendrás. Date tiempo. Acabas de llegar. Se necesita tiempo para construir ese tipo de confianza.

—Ni siquiera con mis amigos de California me sentí capaz de hablar de esto. Me parece terrible. Como si fuera desleal o algo así. Quería a mi esposa, pero… una parte de mí está enfadada con ella. Se quedó embarazada a propósito. Supongo que eso es evidente. Dejó de tomar la píldora y saboteó los preservativos. Pensaba que sabía más que los médicos y que yo. La quería, pero podía ser muy caprichosa y testaruda cuando se lo proponía. No quiso abortar a pesar de los peligros. Durante varios meses las cosas fueron bien. Al menos eso pensábamos. Pero, cuando estaba de seis meses, empezaron a disparársele los niveles de glucosa. Aquella tarde debió de tener una subida y se desmayó. Iba conduciendo cuando ocurrió y se salió de la carretera. El bebé y ella murieron al instante.

—Oh, Ben, cuánto lo siento —deseaba tocarle, ofrecerle algún tipo de consuelo, pero le daba miedo moverse. ¿Qué haría si entrelazase los dedos con los suyos? Los amigos hacían ese tipo de cosas, ¿no? ¿Incluso los amigos complicados?

—Sus padres nunca me perdonaron. Pensaron que fue culpa mía que se quedara embarazada. Si me hubiera mantenido alejado de ella, etcétera, etcétera. No puedo culparles.

—Yo sí puedo. Es absolutamente ridículo. ¿Están locos? Estabais casados, por el amor de Dios. ¿Qué ibais a hacer? No es que fuerais dos adolescentes echando un polvo rápido en el asiento trasero de tu coche.

Ben soltó una carcajada de sorpresa y ella experimentó cierta felicidad al darse cuenta de que podía hacerle reír a pesar de la tragedia.

—Tienes razón. Están un poco locos —volvió a reírse y la tensión de sus hombros pareció aliviarse—. No. Están muy locos. Esa es la verdadera razón por la que me mudé aquí. Ava estaba empezando a volverse como mi suegra. Desde la expresión de desdén hasta los reproches. No permitiré que eso suceda. Soy su padre y no pienso dejar que alimenten su cerebro con mentiras hasta que me odie.

—¿Y el traslado está funcionando como esperabas?

—Creo que es demasiado pronto para saberlo. Aún está bastante enfadada por haberse alejado de ellos. Sus abuelos pueden darle cosas que yo no puedo. Es difícil para un padre digerir eso.

En esa ocasión Caidy actuó por impulso y apoyó la mano en su antebrazo, justo por debajo de la manga corta de su camiseta. Tenía la piel caliente.

—Pero no pueden darles a Ava ni a Jack lo más importante de todo. Tu amor. Eso es lo que recordarán el resto de sus vidas. Cuando vean lo mucho que les has querido y lo que has sacrificado por ellos, no importarán las mentiras que sus abuelos hayan intentado contarles.

—Muchas gracias por decir eso —contestó él con una sonrisa.

—He dicho en serio lo de los niños, Ben —dijo ella, y apartó la mano con gran esfuerzo—. A Destry y a mí nos encantaría tenerlos con nosotras unos días. Y, si necesitas ayuda entre Navidad y Año Nuevo, estaremos encantadas de vigilarlos.

La convicción de su voz pareció borrar la última de sus preocupaciones.

—Si tan segura estás, eso sería fantástico. Gracias. Me quitas un gran peso de encima.

—No hay problema —Caidy sonrió para sellar el trato. Él se quedó mirando su boca como si no pudiera apartar la mirada. Estaba pensando en el beso. Estaba segura de ello. Cuando finalmente la miró a los ojos, ella supo que no estaba imaginándose el deseo que vio en ellos.

Tragó saliva y sintió que se le acaloraba la cara. Deseaba que volviera a besarla, que la rodeara con los brazos y la acorralara contra la pared durante la próxima hora.

Pero no era el momento ni el lugar. Él estaba trabajando y tenía otros pacientes. Además, aunque estuviese dispuesto a forjar una amistad con ella, tenía la impresión de que el resto era demasiado complicado para ambos.

—Eh, te veré más tarde —murmuró ella—. Gracias por… todo.

—De nada —su voz se coló hasta lo más profundo de su cuerpo. Hizo todo lo posible por ignorarlo antes de agarrar la correa de Luke y escapar de allí.

Capítulo 11

DOS noches más tarde, Ben entró con el coche en el rancho River Bow y deseó poder tomar la salida de la izquierda en la bifurcación, meterse en la cama y dormir durante dos o tres días.

Tenía los hombros cargados por el cansancio y le escocían los ojos. Cuando al fin habían conseguido encontrar tiempo para dormir, pasada la medianoche, había recibido una llamada de emergencia para ayudar a un perro que había sido atropellado en una de las carreteras del rancho. Había terminado metiendo a los niños en el coche y llevándoselos a la clínica para que durmieran allí mientras él atendía al perro.

Necesitaba desesperadamente a la señora Michaels, o a alguien como ella. Al menos los niños habían vuelto a quedarse dormidos con rapidez. Eso era una bendición. Incluso cuando los había llevado otra vez al rancho para meterlos de nuevo en sus camas, se habían dormido sin problemas.

Él, sin embargo, había pasado el resto de la noche dando vueltas en la cama. Antes de darse cuenta, había sonado el despertador y había tenido que salir de la cama para enfrentarse a un sinfín de personas que querían llevar a sus animales al veterinario antes de las fiestas.

Aparcó el coche frente a la casa de Caidy y contempló las luces de Navidad y el árbol iluminado a través de las ventanas.

El lugar resultaba acogedor en mitad de la noche fría. No pudo evitar pensar en la casa de sus abuelos en el Lake Forest. La casa de los Caldwell sería tres veces más grande que la del rancho River Bow, pero, en vez de resultar cálida y acogedora, recordaba su hogar como un lugar frío y oscuro.

Sus abuelos no le habían querido. Había sabido eso desde el principio, cuando la hija de estos, su madre, los había dejado a su hermana y a él antes de fugarse con su último novio.

No había regresado, por supuesto. Incluso con ocho años, él había sabido que no regresaría. Ahora sabía que había muerto por sobredosis meses después de dejarlos a Susie y a él con sus abuelos, pero durante años él había esperado a una madre que jamás regresaría.

Ahora él tenía su propia familia. Unos hijos a los que quería más que a nada. Nunca los trataría como a una carga.

Ansioso por recogerlos, se bajó del coche y, al acercarse a la casa, oyó risas y el ruido de la televisión acompañado de unos ladridos.

La puerta se abrió segundos después de que llamara al timbre. El estómago le rugió al instante al advertir unos olores suculentos que le transportaron de inmediato a su pizzería favorita cuando estaba en la universidad.

—¡Hola, papá! —Jack soltó el picaporte justo antes de lanzarse hacia él. Ben le tomó en brazos.

Le parecía uno de los pequeños milagros de la vida que, a pesar del cansancio, siempre encontraba fuerzas cuando se reunía con sus hijos al final del día, incluso aunque Ava estuviese de mal humor.

—¿Qué tal tu día, colega?

—¡Genial! He ayudado a dar de comer a los caballos y he jugado con los gatitos. ¿Y sabes qué? No tengo que volver a clase hasta el año que viene.

—Es verdad. Último día de clase y ahora las vacaciones de Navidad.

—¡Y Papá Noel viene dentro de tres días!

Tenía tantas cosas que hacer hasta entonces que no quería ni pensarlo.

—Estoy deseándolo —mintió.

Mientras hablaba, Ben fue consciente de lo que Jack habría llamado «una perturbación en la Fuerza». Sintió a Caidy acercarse incluso antes de verla.

—¡Hola! Me parecía haber oído el timbre.

Llevaba un delantal blanco y tenía un poco de harina en la mejilla.

—Siento llegar un poco más tarde de lo que te dije por teléfono —respondió él.

—No hay problema. Lo estábamos pasando bien, ¿verdad, Jack?

—Sí. Estamos haciendo pizza y me ha dejado poner el queso.

El estómago volvió a rugirle y se dio cuenta de que no había tenido tiempo para comer.

—Huele muy bien.

—¿Podemos quedarnos y comer un poco? —preguntó Jack dándole la mano—. ¡Por favor, papá!

Ben miró a Caidy, avergonzado por que su hijo

ofreciera invitaciones a comerse la cena de otra persona.

—Me parece que no. Ya hemos molestado demasiado a los Bowman. Tendremos algo para cenar en casa.

—¡Claro que os quedáis! —exclamó Caidy—. Contaba con ello.

—Ya nos estás haciendo demasiados favores dejando que los niños se queden contigo. No espero que también les des de comer.

—Acabo de hacer masa para pizza como para alimentar a todo el pueblo. Puedes quedarte unos minutos y comerte una porción o dos, ¿no? —dijo ella.

—Si de verdad no te importa, sería fantástico. Huele muy bien.

—Voy a ser una pésima anfitriona y a pedirte que cuelgues tu propio abrigo porque tengo las manos cubiertas de harina. Después puedes venir a la cocina.

Sin esperar una respuesta, se dio la vuelta y se alejó por el pasillo seguida de Jack. Tras una pausa, Ben se quitó el abrigo y lo colgó junto a los de sus hijos en el perchero que había en un rincón.

Esperaba encontrar a una multitud de niños cuando entró en la cocina, pero Caidy estaba sola.

—Los niños están preparándose para ver un programa navideño en la otra habitación. Puedes ir con ellos mientras termino de preparar esto.

Debería hacerlo. Cualquier hombre sabio escaparía, pero no quería dejarla sola con todo el trabajo.

—¿Hay algo que pueda hacer aquí para ayudarte?

—Eres un hombre valiente, Ben Caldwell —contestó ella con una sonrisa y sorpresa en la mirada—. Claro. Tengo una pizza de queso en el horno. Dame un minuto para estirar otra masa y podrás poner tú los ingredientes.

Ben se lavó las manos mientras escuchaba el inicio de un especial navideño que él mismo veía en casa de sus abuelos cuando era niño. Le resultaba agradable que sus hijos disfrutaran con las mismas cosas que le habían hecho sentir bien a él.

—¿Quieres beber algo? No solemos tener mucho en casa, pero probablemente tenga una cerveza.

—¿Qué bebes tú?

—Con la pizza me gusta la zarzaparrilla. Siempre ha sido una tradición familiar y no me la he conseguido quitar. Es una tontería, ¿verdad?

—Me parece agradable. La zarzaparrilla suena bien, pero puedo esperar a que la pizza esté terminada.

—¿Qué me dices de ti? —preguntó Caidy mientras daba forma a la masa—. ¿Hay alguna tradición en la cocina de la familia Caldwell?

—Además de disfrutar cualquier cosa que nos prepare la señora Michaels, no. La verdad es que no.

—¿Y de cuando eras niño?

—Tampoco. No provengo de una familia muy unida.

—¿No tienes hermanos o hermanas?

—Una hermana. Es varios años más joven que yo. Hemos perdido el contacto con los años.

Susan se había rebelado contra sus abuelos siguiendo los pasos de su madre, enterrando su tristeza entre drogas y alcohol. Lo último que sabía era que estaba en su tercera rehabilitación para evitar ir a la cárcel.

—Yo no podría imaginar lo que sería perder el contacto con mis hermanos. Son mis mejores amigos. Laura y Becca son como hermanas para mí también.

—Los Bowman parecéis un frente unido contra el mundo.

—Supongo. No siempre ha sido así, pero lo que importa es el presente, ¿no?

—Sí. Eres muy afortunada.

Caidy abrió la boca para hablar, pero pareció pensárselo mejor.

—Creo que esto ya está listo —con un giro de muñeca, colocó la base de pizza estirada sobre una bandeja espolvoreada con harina y se la entregó con una reverencia—. Toda tuya.

—Oh —Ben se quedó mirando la base de pizza sin saber bien qué esperaba de él.

—Nunca has hecho esto antes, ¿verdad?

—No. Pero puedo decirte de memoria el número de teléfono de media docena de pizzerías de California.

Ella negó con la cabeza, se acercó más y, al captar el aroma a flores silvestres, Ben dejó de tener hambre de pizza y empezó a tener hambre de ella.

—Muy bien, te ayudaré esta vez. La próxima vez que vengas a los viernes de pizza, tendrás que hacerlo solo.

«La próxima vez». ¿Quién habría imaginado que esas tres palabras podrían albergar tantas promesas?

—De acuerdo. Lo primero que tienes que hacer es poner un poco de salsa encima con una cuchara. A mí me gusta usar la cuchara grande para extender la salsa sobre la mesa. Así es. Bien. ahora espolvorea el queso que quieras. Perfecto. Veo que te gusta pegajosa.

Caidy le sonrió y de pronto él quiso tirar la pizza al suelo, acorralarla contra la encimera y besarla hasta quedar los dos sin aliento.

—De acuerdo, ahora tienes que poner los ingredientes. Yo pensaba poner pepperoni y aceitunas en la próxima, pero puedes echarle imaginación. Cualquier cosa que creas que puede gustarles a los niños.

—Pepperoni y aceitunas me parece bien. A mis hijos les gusta.

—La tercera puede ser más sofisticada. Para entonces, Destry y sus amigas, y Ridge, cuando está en casa, ya se han llenado.

¿Quién preparaba tres pizzas caseras un viernes por la noche? Caidy Bowman, al parecer.

—Ahora los ingredientes. No escatimes con las aceitunas.

Ben agarró el pepperoni y lo extendió en rodajas sobre la pizza. Después esparció un puñado de aceitunas por encima y se propuso que aquella iba a ser la mejor pizza de viernes por la noche que Caidy habría probado jamás.

—Muy bien. Ahora otra capa de queso y un poco de parmesano recién rallado para terminar. Qué buena pinta.

—Gracias.

—Si alguna vez te cansas de ser veterinario, podrás encontrar trabajo en la pizzería del pueblo.

Él se rio.

—Siempre viene bien tener un plan de emergencia. Es bueno saber que seguiré pudiendo dar de comer a mis hijos.

Ella sonrió y se quedó mirando su boca durante unos segundos. Aquel momento se alargó y Ben deseó volver a besarla, pero Caidy se apartó antes de que pudiera hacer nada.

—Creo que esta ya está lista.

—¿Ahora qué?

—Ahora saco la de queso, llamamos a las langostas y vemos cómo desaparece.

Ben observó mientras lo hacía. Cuando sacó la pizza, vio que el queso burbujeaba como a él le gustaba y la corteza estaba dorada a la perfección.

—¡Des! —gritó ella—. La primera pizza está lista. ¿Puedes parar el programa y traer a todos aquí?

Los niños entraron corriendo en la cocina segundos más tarde. Eran más de los que había esperado. Ava estaba hablando con Destry y con Gabi, mientras que Jack charlaba con Alex y con Maya, los sobrinos de Caidy.

—Hola —le dijo Maya con una sonrisa. Y él no pudo evitar devolverle la sonrisa.

—Hola.

—¿No te había dicho que esta noche estaba cuidando de Maya y de Alex durante unas horas? Taft y Laura tenían unos recados de última hora. Normalmente la madre de Laura les ayuda, pero esta noche tiene una fiesta, así que yo me ofrecí. Pensé que daba igual que fuéramos unos pocos más. Y, cuando Gabi se enteró de que venía Ava, también quiso venir.

Ahora Ben entendía por qué estaba haciendo tantas pizzas.

—Será mejor que te sirvas una porción antes de que se acabe —le aconsejó Caidy. Así que agarró uno de los pocos trozos que quedaban, un vaso de zarzaparrilla y se sentó a la mesa junto a Jack.

Todos los niños parecían nerviosos por las fiestas, pero Caidy consiguió mantenerlos distraídos preguntándoles por el programa que estaban viendo, por las fiestas del colegio de aquel día y por lo que querían que les trajese Papá Noel.

Él estaba demasiado ocupado saboreando la pizza como para contribuir a la conversación, pero al final decidió intentarlo.

—Esto está buenísimo. Yo crecí en Chicago, así que sé algo de pizza. La salsa está perfecta.

—Gracias —respondió ella— ¿Qué me dices de la tercera? ¿Qué te apetece?

—En realidad no me importa. ¿Cuál es tu favorita?

—Me gusta el pollo con salsa barbacoa. Los niños solo la toleran con moderación, así que de ese modo queda más para mí.

—No sabía que fueses una mujer tan perversa, Caidy Bowman.

—Tengo mis momentos.

Le sonrió y él quedó cautivado por lo guapa que era, con el pelo oscuro que escapaba de su coleta y sus mejillas sonrojadas por el calor del horno.

Tenía serios problemas. No sabía qué hacer con aquella atracción. Estaba al borde de un precipicio y, cuanto más tiempo pasaba con ella, más se acercaba al abismo.

—¿Conoces a mi perro? —le preguntó Maya—. Se llama Lucky.

Aliviado por la distracción, Ben dejó de mirar a Maya y se centró en su sobrina.

—Creo que aún no conozco a Lucky. Es un nombre muy bonito para un perro.

—Es muy simpático —declaró Maya—. Me chupa la nariz. Hace cosquillas.

—Nosotros tenemos un perro que se llama Tri —anunció Jack.

—Mi perro se llama Grunt —dijo Gabi—. Trace dice que es feo, pero a mí me parece el perro más bonito del mundo.

—Lucky también es bonito —agregó Alex—. Tiene las orejas larguísimas.

—Tri solo tiene tres patas —comentó Jack, como si ese hecho superase a todos los demás.

—¡Mola! —exclamó Gabi—. ¿Y cómo se mueve?

—A saltos —intervino Ava—. Es bastante mono. Camina con las dos patas delanteras y salta con la trasera. Los paseos con él duran una eternidad, pero no me importa. Maya, te has bebido toda tu zarzaparrilla. ¿Quieres más?

Maya asintió y Ben sonrió al ver como su hija le servía más refresco a la pequeña.

—¡Aquí está la pizza número dos! —anunció Caidy entre vítores de los niños. Dejó la pizza de pepperoni y aceitunas sobre la mesa y la cortó en porciones. Igual que antes, los niños agarraron cada uno una y Ben se hizo con un trozo pequeño, pero observó que Caidy no tomaba ninguno.

—¿Quieres que te guarde una porción? Será mejor que te muevas deprisa.

Caidy se sentó en la única silla que quedaba libre, que resultó estar a su otro lado.

—Me estoy reservando para la de pollo a la barbacoa.

—Están todas deliciosas. Sobre todo esta, aunque esté mal que yo lo diga —contestó él encogiéndose de hombros.

—Eres un profesional —le halagó ella.

—Me encanta la pizza. Es mi favorita —declaró Maya.

—¡A mí también! —exclamó Alex—. Podría comer pizza todos los días.

—Es mi favorita por tres —anunció Jack, que no quería quedarse atrás—. Podría comerla todos los días y todas las noches.

Ava puso los ojos en blanco.

—Eres un idiota.

Los niños parecían satisfechos tras haber terminado la segunda pizza.

—¿Podemos ir ya a terminar de ver el programa? —preguntó Destry.

—Siempre y cuando al doctor Caldwell no le importe quedarse un poco más —respondió Caidy mirándole.

—¿Cuánto le queda al programa? —preguntó él.

—No sé. No mucho, seguro —dijo Destry.

Caidy no parecía muy convencida, pero no contradijo a su sobrina.

—Podemos quedarnos un rato más —respondió Ben finalmente—. Si dura mucho tiempo más, tal vez tengamos que marcharnos antes de que termine el programa.

A pesar de la advertencia, todos los niños aplaudieron contentos.

—Gracias, papá —dijo Ava, y le recompensó con una de sus escasas sonrisas—. Estamos pasándolo demasiado bien como para irnos ya.

—Me encanta este programa —dijo Jack—. Me parto de risa.

En cuanto los niños se marcharon para seguir viendo el programa, Ben se dio cuenta de su error. Se había vuelto a quedar a solas con Caidy, rodeado de los maravillosos olores y acorralado por la conexión que había entre ellos.

Caidy se puso en pie de golpe, supuestamente para ver cómo iba la pizza, pero él notó que ella también lo sentía. Mientras sacaba la tercera pizza del horno, Ben pensó en algún tema seguro de conversación.

Solo se le ocurrió uno.

—¿Qué les ocurrió a tus padres?

Las palabras le salieron más bruscamente de lo que había pretendido. Al parecer a ella también le sobresaltaron. Estuvo a punto de dejar caer la pizza al suelo, pero logró llevarla hasta la mesa con ambas manos.

—Vaya. Eso sí que no me lo esperaba.

—No es asunto mío. No tienes por qué contármelo. Es solo que me lo estaba preguntando. Perdona.

Caidy suspiró mientras agarraba el cortapizzas y empezaba a cortarla.

—¿Qué es lo que has oído?

—Nada. Solo lo que has dicho tú, que no es mucho. Imagino que es algo trágico. ¿Un accidente de coche?

—No fue un accidente de coche —respondió ella tras servir una porción de pizza a cada uno—. A veces desearía que hubiera sido algo tan directo como eso. Habría sido más fácil.

Ben dio un mordisco a la pizza y los sabores se mezclaron en su lengua, aunque apenas les prestó atención, atento como estaba a su respuesta.

Caidy dio un mordisco también a su porción y dio un trago de zarzaparrilla antes de seguir hablando.

—No fue ningún accidente —dijo—. Fueron asesinados.

Eso sí que no se lo habría imaginado nunca, menos en un pueblo tranquilo como Pine Gulch.

—¿Asesinados? ¿En serio?

Ella asintió.

—Lo sé. A mí tampoco me parece real. Han pasado ya once años y no sé si alguno de nosotros lo ha superado realmente.

—Tú debías de ser muy pequeña.

—Tenía dieciséis años.

—¿Fue alguien que conocían?

—No sabemos quién los mató. Esa es una de las peores cosas. Sigue sin resolver. Sabemos que fueron dos hombres. Uno moreno y uno rubio, de veintimuchos años.

Caidy apretó los labios mientras bebía. Y él se maldijo a sí mismo por haber sacado un tema tan doloroso.

—No eran de Pine Gulch —continuó ella—. Eso sí lo sabemos. Pero no dejaron huellas ni otras pistas. Solo tenemos la declaración de un testigo.

—¿Cuál fue el motivo?

—Robo. Todo fue culpa de la codicia. Mis padres tenían una gran colección de arte. Sé que viste el cuadro del comedor el otro día y probablemente pensaste que nuestra madre era una artista brillante. También tenía amigos cercanos en el mundo del arte que le hacían regalos o le vendían las obras rebajadas. Sucedió pocos días antes de Navidad. Mañana hace once años. Ninguno de mis hermanos vivía en casa por entonces, solo estaba yo. Ridge estaba trabajando en Montana. Trace estaba en el ejército y Taft tenía un apartamento en el pueblo. Aquella noche se suponía que no debía haber nadie en casa. Yo tenía un concierto de Navidad esa noche en el instituto, pero… estaba enferma. O eso fue lo que dije.

—¿No lo estabas?

Caidy dejó el tenedor junto a su porción de pizza y él volvió a sentirse culpable por interrumpir su cena con un tema tan trágico. Quiso decirle que no terminara, que no necesitaba saberlo, pero temía sonar más estúpido aún. Además, sentía que una parte de ella necesitaba contárselo.

—Es muy estúpido. Yo era una niña estúpida, egoísta y tonta de dieciséis años. Mi novio, Cody Spencer, el muy imbécil, acababa de romper conmigo esa mañana. Quería salir con mi mejor amiga, aunque parezca un cliché. Y Sarah Beth lo había deseado desde que empezamos a salir. Y decidió que salir con el capitán del equipo de fútbol y presidente del coro era más importante que la amistad. Por entonces yo estaba segura, como cualquier chica de dieciséis años, de que se me había roto el corazón en mil pedazos.

Ben intentó imaginársela con dieciséis años, pero no pudo. ¿Sería porque aquel trágico evento la habría transformado drásticamente?

—Lo peor era que Cody y yo debíamos hacer un dueto en el concierto del coro. *Merry Christmas, Darling*. No podía hacerlo. Simplemente no podía. Así que les dije a mis padres que creía que me había sentado mal la comida. No creo que me creyeran, pero ¿qué otra cosa podían hacer cuando les dije que vomitaría si tenía que subir al escenario aquella noche? Accedieron a quedarse en casa conmigo. Ninguno de nosotros sabía que sería un error fatal.

—Era imposible que lo supierais.

—Racionalmente lo sé, pero aun así es fácil culparme a mí misma.

—Fácil, tal vez, pero no es justo para una chica de dieciséis años con el corazón roto.

Ella le miró sorprendida, como si no hubiera esperado que mostrara comprensión alguna. ¿Acaso le creía tan imbécil como a Cody Spencer?

—Lo sé. No fue culpa mía. Es solo que… a veces me siento así. Ocurrió justo aquí. En la cocina. Desconectaron el sistema de seguridad y entraron por la puerta de atrás. Mi madre y yo estábamos aquí cuando les oímos fuera. Yo les vi las caras un instante a través de la ventana antes de que mi madre me empujara hacia la despensa y me ordenara que me quedara allí. Pensé que iba a entrar detrás de mí, así que me escondí debajo de la estantería más baja para dejarle espacio. Pero volvió a salir y fue en busca de mi padre.

Se quedó callada y él no supo qué decir ni qué hacer para borrar el tormento de su mirada. Finalmente se limitó a colocar la mano sobre la suya. Ella le dirigió otra de sus miradas de sorpresa y dio la vuelta a la mano, de modo que sus palmas quedaron unidas y sus dedos entrelazados.

—Los hombres le ordenaron que se tumbara en el suelo y… yo les oí discutir. Con ella y entre ellos. Uno quería marcharse, pero el otro dijo que era demasiado tarde, que ella ya les había visto. Y entonces entró mi padre. Debió de apuntarles con uno de sus rifles de caza. Yo no veía nada desde el interior de la despensa, pero oí dos disparos. La policía dijo que mi padre y uno de los ladrones debieron de dispararse al mismo tiempo. El otro tipo resultó herido. Mi padre… murió al instante.

—Oh, Caidy.

—Después de eso, todo fue una locura. Mi madre estaba gritándoles. Agarró un cuchillo de la cocina y fue tras ellos y… el muy bastardo le disparó. Tardó… un rato en morir. Yo oía su respiración mientras los ladrones recorrían la casa llevándose las obras de arte que querían. Debieron de hacer al menos cuatro o cinco viajes fuera de la casa antes de marcharse al fin. Yo me quedé dentro de la despensa y no hice nada. Intenté ayudar a mi madre en una ocasión, pero me obligó a volver a entrar. No sabía qué otra cosa hacer. Debería haberle ayudado. Tal vez podría haber hecho algo.

—Te habrían disparado de haber sabido que estabas aquí.

—Quizá.

—Nada de «quizá». ¿Crees que lo habrían dudado por un momento?

—No sé. Cuando al fin oí que se marchaban, esperé varios minutos más para asegurarme de que no regresaban. Después salí para llamar a la policía. Para entonces, ya era demasiado tarde para mi madre. Apenas aguantaba cuando llegó Taft con el resto de paramédicos. Tal vez, si hubiera llamado antes, no habría perdido tanta sangre.

Ahora todo tenía sentido. El vínculo entre los hermanos ocultaba un dolor profundo.

¿Sería esa la razón por la que Caidy seguía en el rancho después de todos esos años? ¿Se habría quedado allí por la culpa, escondida metafóricamente en la despensa?

¿Sería ese el motivo por el que ya no cantaba?

—No fue culpa tuya. Es algo horrible, y más para que le ocurra a una chica joven.

—Supongo que ahora entiendes por qué no me gusta mucho la Navidad. Lo intento, por el bien de Destry. Ella ni siquiera había nacido por entonces. No me parece justo hacer que se pierda la diversión de las fiestas navideñas por la muerte de gente a la que no conoce.

—Lo entiendo.

En ese momento Caidy apartó la mano de él y se levantó para llevar su plato al fregadero. Aunque Ben notaba que estaba intentando poner distancia entre ellos de nuevo, agarró su plato también y fue detrás de ella.

Caidy pareció sorprendida.

—Oh, gracias. No tenías por qué. Eres un invitado.

—Un invitado que te debe mucho más que el tiempo que se tarda en recoger unos pocos platos —respondió él antes de regresar a la mesa para recoger el resto de platos, servilletas y vasos que los niños habían dejado.

Después agarró un trapo y comenzó a secar los pocos platos que había en el escurridor junto al fregadero. Aunque pareció que ella iba a decir algo, no lo hizo, y ambos pasaron unos minutos trabajando en silencio.

—A mi madre le gustaban mucho las Navidades —dijo Caidy cuando casi habían terminado de lavar los platos—. A mi padre también. Creo que eso hace que sea más difícil. Mi madre decoraba la casa incluso antes de Acción de Gracias y se pasaba el mes horneando. Creo que a mi padre le hacía más ilusión que a nosotros. Cantaba villancicos con todas sus fuerzas. Durante todo el mes de diciembre, después de que hubiéramos hecho los deberes, nos reunía en torno al piano de cola que hay en la otra habitación para que cantásemos con él. El escaso talento musical que pueda tener yo lo he heredado de él.

—Me gustaría oírte cantar —dijo él.

—Te dije que ya no canto.

—¿Y crees que a tus padres les gustaría eso?

—Lo sé. Me digo lo mismo todos los años. Mi padre en particular se sentiría muy decepcionado conmigo. Me miraría con aquellas cejas pobladas y me diría que la música es la medicina para los corazones rotos. Era lo que solía decir. O citaba a Nietzsche: «Sin música, la vida es un error». Racionalmente lo sé, pero a veces lo que entendemos en nuestra cabeza no tiene nada que ver con lo que sentimos en nuestro corazón.

—A mí me lo vas a decir —murmuró él.

Ella lo miró con curiosidad y apoyó una cadera en la isla de la cocina.

Ben sabía que debía mantener la boca cerrada, pero sin poder evitarlo le salieron las palabras.

—Mi cabeza me dice que volver a besarte es una idea completamente ridícula.

Ella se quedó mirándolo con los ojos muy abiertos y los labios ligeramente separados.

—¿Y tu corazón tiene otra idea? Eso espero.

—Los niños… —dijo él.

—… están entretenidos viendo un programa y sin prestarnos ninguna atención.

Ben dio un paso hacia delante, casi en contra de su voluntad.

—Esto que hay entre nosotros es una locura.

—Absolutamente —convino ella.

—No sé qué me pasa.

—Probablemente lo mismo que a mí —murmuró ella. También dio un paso hacia delante, hasta quedar a escasos centímetros de distancia.

Tenía que besarla. Le parecía inevitable. Terminó de recorrer la distancia que los separaba y rozó sus labios una vez, dos veces, tres veces. Podría haber encontrado la fuerza para parar, pero ella susurró su nombre y le agarró de la camisa con ambas manos. Entonces no le quedó más remedio.

Caidy sabía a zarzaparrilla, vainilla y menta. Delicioso. Se olvidaba de todo cuando estaba entre sus brazos; del cansancio, de la música que no cantaba, de los niños de la otra habitación.

Lo único en lo que podía pensar era en Caidy.

Se sentía bien estando allí con ella. No podría haberlo explicado, pero era como si, con cada segundo que pasara, un rincón vacío y oscuro de su interior fuese llenándose de luz.

Caidy pensaba que su primer beso había sido fantástico. Pero aquel superaba al primero. La reacción física era la misma, calor instantáneo y un deseo insaciable.

Pero esa primera vez apenas lo conocía. Ahora no solo estaba besando al veterinario sexy que le había salvado la vida a Luke. Estaba besando al hombre que trataba a Maya con ternura, al que se esforzaba en preparar una buena pizza, al que le escuchaba hablar de su pasado sin juzgarla.

Estaba besando a Ben, el hombre del que estaba enamorándose.

Le rodeó con los brazos para absorber cada momento de aquel beso. Se besaron durante varios segundos, hasta que él deslizó la mano por debajo de su camiseta y empezó a acariciar su cintura con los dedos.

Podrían haber seguido besándose en la cocina durante mucho tiempo, pero de pronto los niños se rieron con fuerza de algo que habían visto en la televisión y Ben se puso rígido, como si alguien le hubiera metido nieve por dentro de la camiseta.

Se apartó de ella.

—Tenemos que dejar de hacer esto —dijo con voz rasgada y la respiración entrecortada.

—¿Tenemos?

—Sí. No estoy siendo justo contigo, Caidy.

Algo en su voz hizo que regresara a la realidad, tomó aliento y se apartó también.

—¿En qué sentido? —preguntó ella.

—Por mucho que te desee, no puedo tener una relación ahora mismo. No estoy preparado, los niños no están preparados. Les he cambiado demasiadas cosas en muy poco tiempo. Un nuevo pueblo, un nuevo colegio, un nuevo trabajo. Dentro de poco una nueva casa. No puedo añadir otra mujer a la combinación.

¿Qué podía decir Caidy a eso? Él tenía razón, sus hijos habían pasado por muchos cambios en poco tiempo. Lo último que ella deseaba era hacer daño a Ava y a Jack. Eran niños estupendos y les tenía cariño. Esa misma tarde creía haber tenido un acercamiento con Ava al ayudarla a montar uno de los caballos más tranquilos en el redil de prácticas.

Ben era el padre de los niños. Si sentía que una relación entre ellos iba a ser perjudicial para los niños, ¿cómo podría ella discutirle eso?

Tenía obligaciones más importantes que sus propios deseos y necesidades. Ella debía aceptar eso a pesar de que fuera doloroso.

Para su vergüenza, sintió el ardor de las lágrimas. ¡Ella nunca lloraba! Desde luego no recordaba haber llorado nunca por un hombre. No desde aquel idiota de Cody Spencer cuando tenía dieciséis años.

Respiró profundamente un par de veces para lograr contener las lágrimas. No se atrevió a hablar hasta que estuvo segura de que no le temblaría la voz.

—Me alegra que estemos en el mismo punto —dijo con un tono de despreocupación que no sentía—. Yo no estoy buscando una relación ahora mismo. Esta atracción que hay entre nosotros es… inconveniente, sí, pero ambos somos adultos. Podemos ignorarla durante el poco tiempo que vivas en el rancho. Después, no será un problema. ¿Con qué frecuencia tendré que llevar a uno de los perros al veterinario? Apenas nos veremos cuando te mudes a tu nueva casa.

En vez de tranquilizarle con su despreocupación, sus palabras parecieron preocuparle más. Ben frunció el ceño y se quedó mirándola fijamente,

—Caidy… —comenzó a decir, pero Des entró en la cocina antes de que pudiera terminar la frase.

—¿Seguís haciendo pizza? ¡Hace mucho calor en esta cocina!

Era la verdad, pensó Caidy.

—Ni siquiera habéis venido a ver el programa con nosotros y ahora ya casi ha terminado.

—¿Has dejado el programa antes de que terminara? —preguntó Caidy.

—Jack quería más zarzaparrilla. Le he dicho que yo me encargaba.

—Creo que Jack ya ha tomado toda la zarzaparrilla que le corresponde por esta noche —dijo Ben—. ¿Y si lo cambiamos por agua? Si se queja, dile que el ogro de su viejo ha dicho que no.

—Claro, doctor Caldwell —dijo Destry con una sonrisa—. Como si alguien fuese a pensar que es un ogro. O un viejo.

—Te sorprendería —murmuró él.

—¿Por qué no ves el resto del programa con los niños? —le preguntó Caidy.

—¿Y tú?

—Yo tengo que encargarme de algunas cosas aquí. Después iré.

Tras unos segundos de reticencia, Ben asintió.

—Puedo llevarle el agua a Jack, si quieres —le dijo a Destry, la cual le entregó la taza y le guio hacia la sala de la televisión.

Cuando se quedó sola, Caidy se dejó caer en una

de las sillas junto a la mesa de la cocina y se contuvo de llevarse las manos a la cabeza.

Estaba volviéndose una idiota con Ben. Solo con dirigirle esa sonrisa encantadora, sentía que su cuerpo se encendía por dentro y deseaba lanzarse a sus brazos.

Lo peor era que estaba desarrollando sentimientos hacia él. ¿Cómo no iba a hacerlo? Pensó en él con Maya durante la cena y se le derritió el corazón.

Tenía que ponerle fin a aquello o acabaría con el corazón destrozado. Él no quería una relación. Lo había dejado claro en dos ocasiones. No deseaba lo que ella pudiera ofrecerle, y sería tonta si se permitía olvidarlo, aunque fuera por un segundo.

Sí, podría lograrlo. Unas pocas semanas más y saldría de su vida. Durante esas semanas, tendría que esforzarse por proteger sus sentimientos. Ben y sus hijos podrían atravesar sus defensas y llegarle al corazón casi sin proponérselo. Tendría que hacer todo lo posible por evitar que eso pasara, por duro que pudiera ser.

Capítulo 12

TRES días más.

Caidy podría sonreír, charlar y fingir que le gustaba la Navidad durante tres días más.

Menos de tres en realidad. Dos y medio. Era domingo por la noche, el día antes de Nochebuena. Le quedaba esa noche, Nochebuena y después Navidad. Después podría olvidarse de otras Navidades más.

De acuerdo, eso no incluía la semana previa a Año Nuevo, pero no iba a pensar en eso. Cuando pasaba el día de Navidad en sí, normalmente lograba relajarse y disfrutar del resto de las fiestas y del tiempo que pasaba con su familia.

Por el momento tendría que sobrevivir a aquella noche en particular. Salió de su dormitorio con sus mejores pantalones negros y una blusa de seda blanca que solo se había puesto en una ocasión, en la cena anual de ganaderos de hacía unos años. Como complemento llevaba un collar triple de cuentas de cristal que había comprado en una feria de artesanía aquel verano.

Eso era todo lo elegante que podía ponerse. ¿Sería demasiado? ¿O quizá no? No le gustaba tener que elegir el vestuario para las fiestas, y menos para aquella.

Desearía poder quedarse en casa con un gran cuenco de palomitas y ver algo en televisión que no fuera un especial navideño.

Todos los años encontraba una excusa para no ir a la fiesta que Carson y Jenna McRaven celebraban en su casa de Cold Creek, pero ese año Destry les había rogado una y otra vez a Ridge y a ella.

Finalmente Ridge se había resignado a su destino y había accedido a ir. Aunque sabía que era ridículo, Caidy se había sentido obligada a ir con ellos.

No le entusiasmaba la idea de la fiesta, salvo por la comida. Jenna era una cocinera excelente y organizaba eventos por todo el condado. Sin embargo su amiga solía excederse un poco en Navidad. A su marido también le pasaba. Su casa estaba decorada hasta el más mínimo detalle en Navidades, y a la pareja le encantaba celebrar fiestas para sus familiares y amigos.

Se dijo a sí misma que podría hacerlo. Le quedaban menos de setenta y dos horas. Con eso en mente, se dirigió hacia la cocina para recoger los dos pasteles de manzana que había horneado esa mañana y encontró allí a Destry y a Ridge.

—¡Oh, estás preciosa, tía Caidy! —exclamó Destry.

—Es cierto, hermanita —convino Ridge con una de sus escasas sonrisas—. Demasiado elegante para ir con nosotros.

Su hermano llevaba una camisa y una de sus corbatas favoritas, mientras que Destry llevaba sus mejores vaqueros y un jersey que habían comprado en

Jackson la última vez que habían ido de compras juntas.

Por el cuello del jersey, Caidy vio que asomaban las tiras de su traje de baño.

—¿Vas preparada para nadar?

Los McRaven tenían la única piscina privada interior de todo el pueblo y era un éxito entre los niños de la zona.

Destry levantó de la mesa una bolsa de redecilla.

—Lo tengo todo aquí. Estoy deseándolo. He oído que es una piscina increíble. Eso es lo que me han contado Tallie y Claire. Espero que Kip Wheeler no se ponga muy pesado. Puede llegar a ser una lata.

Kip era el hijo del primer matrimonio de Jenna, que había terminado con la trágica muerte de su marido varios años atrás. Carson McRaven los había adoptado a él, a sus dos hermanos mayores y a su hermana pequeña tras casarse con Jenna. Ahora tenían un bebé en común.

—¿Estamos todos listos?

—¡Yo sí! —exclamó Destry antes de ponerse el abrigo.

—Estoy todo lo lista que puedo estarlo —murmuró Caidy. Ridge le dirigió una mirada compasiva mientras levantaba uno de los pasteles para llevarlo al coche.

Al acercarse a la casa, vieron que había coches aparcados a ambos lados de la entrada. Parecía que medio pueblo estuviera dentro de la casa. Reconoció el coche de Trace y la camioneta de Taft. Aparentemente, incluso habiendo cancelado la cena familiar de los domingos por una ocasión especial, los Bowman no podían estar separados.

—Os dejaré cerca de la puerta e iré a buscar aparcamiento —dijo Ridge.

Caidy quiso decirle que no, pero, como llevaba puestas sus botas negras de tacón alto, no dijo nada.

—¿Quieres que lleve uno de los pasteles? —preguntó Destry.

—Tú llevas las cosas de baño. Puedo yo —respondió ella.

Como imaginaba, la entrada de la casa de los McRaven estaba hermosamente decorada con guirnaldas de luces parpadeantes. Había también tres árboles decorados con luces.

La puerta se abrió antes de que pudieran llamar y apareció Jenna McRaven.

—¡Oh, Caidy! ¡Has venido! Pensé que nunca llegaría el día en el que podríamos convencerte para que vinieras a nuestra fiesta de Navidad.

Carson apareció junto a ella en la puerta y les dedicó una amplia sonrisa. No se parecía en nada al hombre frío que recordaba que había llegado al pueblo cinco años atrás.

—Caidy, me alegro de verte —le dio un beso en la mejilla antes de rodear a su esposa con un brazo—. ¡Y has traído comida!

—¿Dónde queréis que deje los pasteles?

—¿Además de en mi estómago? —preguntó Carson—. Tienen muy buena pinta. Seguro que hay sitio en la mesa de los postres. ¿Qué estoy diciendo? Siempre hay sitio para un pastel.

—Te ayudaré —dijo Jenna mientras agarraba uno de los pasteles—. Carson, ¿quieres decirle a Destry dónde puede ponerse el traje de baño?

—Ya lo llevo puesto —anunció Des.

—Bien pensado —contestó Carson—. Pues entonces te mostraré dónde puedes dejar tus cosas.

Se marcharon y Jenna condujo a Caidy en dirección contraria hasta llegar a la cocina, donde se encontraba ya al menos una docena de sus amigas.

—¡Hola, Caidy! —le dijo Emery Cavazos con una sonrisa mientras colocaba algo de chocolate en una bandeja.

—Hola, Em.

Allí no había nada por lo que preocuparse, pensó. Adoraba a aquellas mujeres y se reunía con ellas frecuentemente en diversos actos sociales. Podría fingir que aquella era una de sus fiestas habituales.

—¿Sabéis? Caidy sería perfecta para lo que estábamos hablando antes —comentó Maggie Dalton.

—¿Para qué? —preguntó ella con desconfianza. Con las mujeres de Cold Creek había que tener cuidado.

—Todas nos hemos fijado en el nuevo veterinario; un atractivo viudo con dos hijos adorables —explicó Jenna—. Estábamos intentando pensar en alguien a quien pudiéramos presentarle sutilmente.

—Ya nos conocemos —contestó ella. «Y nos hemos besado», agregó mentalmente, aunque decidió guardarse esa información.

Caroline Dalton, casada con el mayor de los Dalton, Wade, ladeó la cabeza y se quedó mirándola.

—¿Sabes, Mag? Creo que tienes razón. Es perfecta para él.

—¿Lo soy?

—¡Sí! A los dos os gustan los animales y se os dan bien los niños.

—Tenemos que encontrar la manera de juntarlos —intervino Emery, la muy traidora.

—Gracias, pero no es necesario —se apresuró a responder ella—. Como ya he dicho, el doctor Caldwell y yo nos conocemos. Trató a un perro mío que

estaba herido hace unas semanas. Y, por si no lo sabéis, actualmente está viviendo en la casa del capataz
del River Bow.

—Oh. No sabía que los niños y él se hubieran ido
del hotel —comentó Jenny Boyer Dalton, directora de
la escuela de primaria—. Me alegra que no pasen ahí
las Navidades. No te ofendas, Laura.

—No me ofendo —contestó la cuñada de Caidy—.
Estoy de acuerdo.

—Es una idea brillante —dijo Caroline—. ¿Ves?
¡Eres perfecta para él!

Caidy empezaba a ver que la situación se le iba de
las manos, porque todo el pueblo iba a ponerse a intentar emparejarla con Ben. Eso sería una pesadilla.

—Creo que deberíais darle un respiro a Ben y dejar que se instale en Pine Gulch antes de intentar buscarle pareja. El pobre hombre ni siquiera ha podido
mudarse aún a su nueva casa.

Pero pronto lo haría. La casa que se estaba haciendo estaría terminada después de las fiestas, y los niños
y él abandonarían entonces el rancho. La idea de no
ver las luces en las ventanas de la casa del capataz le
produjo una terrible sensación de pérdida.

Se imaginó el resto del invierno como algo largo y
vacío. No solo el invierno. Los meses y los años que
quedaban por llegar.

Los echaría tremendamente de menos. ¿Cómo podría vivir en Pine Gulch sabiendo que Ben estaba cerca, pero fuera de su alcance?

Tal vez hubiera llegado el momento de tomar un
camino diferente. Probablemente pudiera encontrar
trabajo en otra parte. Separarse de su familia resultaría
doloroso, pero no sabía qué le dolería más; marcharse
o quedarse.

—Solo amigos, ¿eh? Es una pena —contestó Maggie Dalton con un suspiro pesaroso—. ¿No crees que, si lo intentaras, podrías despertar su interés? Quiero decir que el tipo está muy bueno.

Sí, era muy consciente de ello. El problema no era lo atractivo que Ben Caldwell le pareciera. Él no sentía lo mismo por ella y no había nada que pudiera hacer al respecto.

De pronto le dieron ganas de llorar allí mismo, delante de todas sus amigas, las cuales tenían la suerte de estar casadas con unos hombres maravillosos que las querían mucho.

—Te sorprendería saber con qué frecuencia una amistad se convierte en algo más —dijo Emery—. El doctor Caldwell sí que parece un buen hombre. No tenemos tantos hombres disponibles en Cold Creek, además de los que vienen con las motos de nieve o a pescar. Tal vez deberías pensar en descubrir si quiere que seáis algo más que amigos.

Caidy sintió las lágrimas quemándole detrás de los párpados. Ir a esa fiesta había sido una mala idea. Si hubiera sabido que iba a enfrentarse a un sinfín de casamenteras, se habría quedado escondida en su habitación.

—No, ¿de acuerdo? No lo hagáis. Ben y yo somos amigos. Nada más. No todo el mundo está destinado a vivir feliz para siempre como vosotras. ¿Tan difícil es de creer que me guste mi vida tal y como está? Quizá a Ben también le guste. Dejadlo, ¿de acuerdo?

Sus amigas se quedaron mirándola con la boca abierta y Caidy se dio cuenta de que su vehemencia les había sorprendido. Normalmente no era tan firme. Ahora empezarían a preguntarse por qué aquel sería un tema tan delicado para ella.

Y además Laura sabía que Ben y ella se habían besado. Esperaba que su adorada cuñada decidiera no mencionar ese pequeño detalle delante del resto de mujeres.

—Tengo que llevar uno de mis pasteles a la mesa de los postres —agregó—. ¿Qué me dices de esa bandeja, Emery? ¿Está lista para sacarla?

—Eh, claro —su amiga le entregó las galletas sin decir nada más. Caidy escapó de la cocina sintiendo las miradas de todas ellas clavadas en su espalda.

La fiesta estaba llena de gente y había mucho ruido. A pesar del tamaño, tener a cien personas, muchas de ellas niños, metidas en la casa no daba opción a mantener una conversación tranquila y relajada. Varios vecinos y amigos la saludaron de camino a las mesas de la comida. Ella intentó sonreír y hablar con ellos durante unos segundos, pero después puso la excusa de los pasteles.

Las mesas estaban llenas de todo tipo de platos suculentos, como había imaginado. Caidy no tenía mucho apetito, pero llenó un plato con algunos aperitivos, más que nada por tener algo en la mano.

—Tiene buena pinta. ¿Sabes lo que son?

Al oír aquella voz profunda, se dio la vuelta y el corazón le dio un vuelco. ¿Cómo había podido no darse cuenta de que Ben se acercaba?

—No estoy segura. Jenna es famosa por sus rollos de espinacas, así que espero que sea eso. Debería decirle que ponga carteles para que sepamos lo que comemos.

Ben sonrió y ella quiso quedarse mirándolo un buen rato.

—No sabía que fueses a venir a la fiesta de los McRaven —agregó ella—. Es una leyenda aquí.

—La señora McRaven nos invitó cuando trajeron a su perro Frank la semana pasada. Al parecer se había tragado una pieza de LEGO, pero el problema... eh, salió. Pensé que venir a la fiesta sería una buena manera de conocer a los vecinos. ¿Qué me dices de ti? No esperaba verte aquí. Es difícil escapar del espíritu navideño en una fiesta así.

¿Ben se había preguntado si asistiría a la fiesta? No sabía si deseaba saberlo.

—Destry nos lo ha rogado este año. Venían sus primos y casi todas sus amigas.

Antes de que él pudiera responder, alguien la empujó por detrás. Se tambaleó sobre sus botas de tacón y se habría caído al suelo si Ben no la hubiera agarrado. Durante unos segundos se quedaron mirándose el uno al otro y ella vio el calor y el deseo en sus ojos.

De pronto el ruido de la multitud se esfumó, como si alguien hubiera bajado el volumen de golpe, y solo fue consciente de Ben. De sus brazos fuertes rodeándola, de sus ojos mirándola con deseo y algo más que no podía identificar.

—Oh, lo siento mucho. ¿Estás bien, querida?

Caidy reconoció la voz de Marjorie Montgomery y se dio cuenta de que la mujer del alcalde, y madre de los Dalton, debía de ser la que se había chocado con ella. Aún sin aliento, y agradecida por haber dejado el plato en la mesa antes del empujón, consiguió salir de entre los brazos de Ben y darse la vuelta.

—Estoy bien. No hay problema.

Marjorie sonrió inocentemente, pero a Caidy le pareció ver un brillo malicioso en sus ojos. Genial. Ben y ella no podrían estar tranquilos ahora que sus amigas habían decidido que estaban destinados a acabar juntos. Se preguntó si debería advertirle, pero decidió que eso resultaría demasiado incómodo.

—Esto es una locura —comentó Ben—. He visto algunas sillas junto a las puertas de cristal que dan a la piscina, por si estás buscando un lugar donde sentarte.

—Claro —contestó ella, agarró su plato y un vaso de agua y se alejó con él hacia las sillas.

—¿Dónde están los niños?

—En la piscina. ¿Dónde si no? —Ben señaló a través de las puertas de cristal y ella vio a Jack jugando en el agua con Alex, el hijo de Laura. Ava estaba con un grupo de chicas, incluyendo a Destry y a Gabi.

—Taft se ha ofrecido a echarles un ojo para que yo pudiera ir a comer algo, ya que estaba vigilando a Alex y a Maya de todos modos. Pensé que estarían a salvo con el jefe de bomberos como socorrista.

Se quedaron en silencio y ella se dedicó a mordisquear un canapé que sabía a calabaza y canela.

—¿Estás preparado para la Navidad? —preguntó al fin cuando el silencio se volvió incómodo.

—No. En absoluto —respondió él con cierto pánico en la voz—. Debería estar en casa envolviendo regalos ahora mismo. No sé cómo se hace. Mi esposa solía encargarse de esos detalles, y después pasó a ocuparse la señora Michaels. Tal vez les diga a los niños que Papá Noel ha decidido no envolver los regalos este año y los deje debajo del árbol sin más.

—¡No puedes hacer eso! ¡El misterio y la anticipación de desenvolver los regalos es parte de la magia!

Él arqueó una ceja.

—Y lo dice una mujer que querría olvidarse por completo de las Navidades.

—El hecho de que no disfrute particularmente con la Navidad no significa que no sepa qué es lo que hace

que el día sea perfecto, sobre todo para los niños —
protestó Caidy—. Los regalos de Destry llevan envueltos y escondidos desde Acción de Gracias.

Ben se quedó mirándola durante unos segundos y
después negó con la cabeza.

—Eres extraordinaria.

—¿Por qué lo dices?

—Odias la Navidad, pero no quieres decepcionar a
tu sobrina de ningún modo. Eso me resulta asombroso. La quieres mucho, ¿verdad?

—Así es. Es la hija que probablemente nunca tendré.

—¿Por qué no? Eres joven. ¿Qué te hace pensar
que no tendrás una familia algún día?

Quiso decirle que tenía miedo de estar enamorándose de un veterinario que había dejado claro que no
quería tener una relación, pero sabía que no podía hacer eso.

—Algunas mujeres estamos destinadas a ser tías
favoritas, supongo.

Antes de que Ben pudiera responder a algo que,
sin duda, había sonado patético, Caidy se apresuró a
cambiar de tema.

—¿Necesitas ayuda con los regalos de los niños?
Puedo pasarme esta noche cuando se hayan acostado
y ayudarte a envolverlos. No creo que tardemos mucho. Una hora como mucho.

Ben se quedó mirándola y después negó con la cabeza.

—No creo que sea necesario. Probablemente me
las apañaré. O dejaré todo sin envolver. No será el fin
del mundo.

Otro rechazo. Caidy estuvo a punto de suspirar. Ya
debería haberse acostumbrado. En esa ocasión solo le

había ofrecido su ayuda, pero al parecer ni siquiera deseaba eso de ella.

—No hay problema. No querría presionarte.

—Esa es mi frase. No quiero que te sientas obligada a venir a medianoche para envolver los regalos de un padre inepto.

—¡No lo había visto de ese modo! —exclamó ella—. Solo quería… ya sabes. Aliviar un poco tu preocupación.

—En ese caso, de acuerdo. Este año todo es una locura, con la casa alquilada y sin la señora Michaels. Probablemente deba intentar mantener el resto de nuestras tradiciones navideñas. Papá Noel siempre ha envuelto los regalos. Seguro que a Jack no le importará, pero Ava lo verá como otro fracaso por mi parte si no hago las cosas como ella está acostumbrada —hizo una pausa y se quedó mirándola—. Creo que mi deuda contigo crece y crece sin parar.

—Los amigos no llevan la cuenta de esas cosas, Ben.

Como al parecer eso era lo único que llegarían a ser nunca, al menos sería la mejor amiga que hubiera tenido jamás.

—Gracias.

Decidió entonces que no podía quedarse allí sentada conversando con él. No cuando deseaba mucho más.

—Oh, ahí están Becca y Trace. Le prometí a Becca que hablaría con ella sobre el menú de la cena de Navidad. Debería ir a hacerlo. ¿Me disculpas?

—Claro —contestó él poniéndose en pie.

—Hablo en serio con lo de ayudarte con los regalos. ¿Por qué no me llamas cuando los niños se hayan acostado y me acerco?

—Debería negarme. Es algo que probablemente debería poder hacer yo solo, pero la verdad es que agradezco tu ayuda.

Caidy sonrió, haciendo un esfuerzo por ocultar cualquier señal de anhelo por su parte, y se alejó de él.

Tenía veintisiete años y acababa de descubrir que tenía una vena masoquista. ¿Por qué si no seguiría metiéndose en situaciones que le causarían más dolor?

Capítulo 13

BEN se quedó mirando el teléfono y el mensaje que había escrito, pero que no había enviado. *OK. Ya están dormidos.*

Debía borrarlo de inmediato y decirle que había cambiado de opinión. Caidy Bowman era peligrosa para él, sobre todo a las diez y media de la noche.

Pensó en lo guapa que estaba en la fiesta de los McRaven. Nada más verla, había querido darle la vuelta, estrecharla entre sus brazos y besarla apasionadamente para que todos supieran que era suya.

—Estoy loco, ¿verdad, Tri?

El chihuahua ladeó la cabeza y pareció reflexionar sobre la pregunta.

—Da igual. Era retórica. No tienes que responder.

Tri dio un ladrido y se subió a su regazo con una agilidad sorprendente para tener tres patas.

Ben volvió a mirar el teléfono y, sin darse tiempo para pensarlo más, envió el mensaje.

La respuesta fue casi inmediata, como si hubiera estado esperando. *Voy enseguida.*

Sintió un vuelco en el pecho y se recordó a sí mismo las razones que le había dado a Caidy hacía pocas noches. No estaba preparado para tener una relación. Sus hijos estaban ajustándose al cambio. No podía empezar a salir con una mujer y descuidarlos a ellos.

Se dijo a sí mismo que aquella sería la última vez. Aceptaría su ayuda con los regalos y después mantendría la distancia. Había hablado con su contratista durante la fiesta y este le había dicho que la casa estaría lista en unos diez días, justo después de Año Nuevo. Tal vez cuando se mudara podría verlo todo con perspectiva y no pasarse el día entero pensando en ella.

—Sí, estoy loco —le dijo a Tri. Dejó al perro en el suelo y se dirigió hacia la habitación de la señora Michaels, en cuyo armario estaban escondidos los regalos de los niños.

Antes de marcharse, el ama de llaves había envuelto algunos de los regalos. En el armario encontró papel de regalo, cinta y tijeras.

Lo llevó todo a la mesa de la cocina. Tras echar un vistazo a la habitación de los niños y asegurarse de que estaban profundamente dormidos, subió y bajó las escaleras varias veces con los regalos sin envolver para dejarlos en la cocina.

Justo cuando terminó, advirtió movimiento fuera y vio a Caidy acercándose desde su casa a través de la nieve. Llevaba consigo un par de perros y dos enormes bolsas que llamaron su atención. Al acercarse al porche, hizo un gesto con la mano y les dio una orden a los perros. Aunque él no podía oír lo que decía, imaginó que les habría dicho que regresaran a casa. Uno de los perros se alejó alegremente seguido del otro, que avanzaba más despacio.

Después Caidy se dio la vuelta, subió los escalones del porche y llamó a la puerta.

—Hola —dijo en voz baja, probablemente para no despertar a los niños.

—Hola —murmuró él, y fue consciente de la intimidad de la noche. Con el fuego crepitando en la chimenea del salón y la nieve cayendo fuera, sería fácil cometer el error de pensar que estaban allí solos, apartados del resto del mundo.

Tri la recibió olisqueándole las botas y ella le sonrió.

—Hola, amigo, ¿cómo estás?

—¿Qué es todo esto? —preguntó Ben señalando las bolsas de la compra.

—La cena de Navidad. Se me van a caer los brazos si no dejo las bolsas. ¿Puedo dejarlo en la cocina?

—Claro. ¿A qué te refieres con la cena de Navidad?

—No es gran cosa. Teníamos un jamón de sobra y siempre tenemos puré de patatas en el congelador. Solo has de añadir un poco de leche cuando lo recalientes en el microondas. Por otra parte siempre preparo demasiado pastel, así que te he traído uno. Sin la señora Michaels, no sabía si tendrías tiempo para pensar en preparar algo para tus hijos y para ti.

¿Se había tomado tantas molestias? Le resultaba asombrosa su consideración y no sabía bien qué decir.

—Gracias —consiguió responder—. Vaya. En serio, gracias.

—De nada —dijo ella con una sonrisa que le dejó sin aliento—. ¿Lo pongo en la nevera?

—Eso sería genial —contestó él mientras agarraba las bolsas.

Se pasó un rato sacando cosas de las bolsas. No era solo jamón y puré de patatas. Caidy le había llevado también un tarro de mermelada casera de fresas, masa de pan congelada con instrucciones para el horneado, e incluso un queso y una caja de galletas saladas.

Estaba seguro de que se le habría ocurrido algo que darles de cenar a los niños, pero el hecho de que ella se hubiera tomado la molestia de pensar en ello le resultaba conmovedor.

—¿Empezamos a envolver los regalos?

En aquel momento Ben no estaba seguro de poder pasar cinco minutos con ella, pero no podía echarla de la casa después de haber ido hasta allí, y encima con la cena de Navidad.

—Lo he bajado todo, incluyendo todo el papel de regalo que he encontrado.

—Perfecto.

Caidy se fijó en la pila de regalos y sonrió.

—Parece que los niños van a tener una Navidad fantástica.

—La señora Michaels se encargó de comprar varios de los regalos, aunque yo compré algunos por Internet. ¿Por dónde empezamos?

—Supongo que será mejor ponernos a ello. Puedo hacerlo yo, si tú tienes otra cosa que hacer.

¿Quería que se marchara? Por un instante estuvo tentado de hacer justo eso, escapar y meterse en otra habitación. Pero eso no solo resultaría grosero, sino que además sería una cobardía.

—No. Hagámoslo. Si lo hacemos juntos, no tardaremos mucho. Puede que tengas que supervisarme un poco.

—Seguro que habrás envuelto algún regalo en tu vida.

Recordó vagamente haber envuelto un regalo para sus abuelos aquella primera Navidad después de que le acogieran. Era un bote para lápices cubierto de macarrones que había fabricado en la escuela. Su abuelo ni siquiera lo había abierto. Había puesto alguna excusa para dejarlo para más tarde. Esa misma noche, al sacar una bolsa llena de papel de regalo usado, había visto el bote en el cubo de la basura, aún sin abrir.

—Puede que lo hiciera cuando era niño. Dudo que mis habilidades hayan mejorado desde entonces.

—¿Cómo puede un hombre llegar a tener treinta y tantos y no saber envolver un regalo?

—Confío en dos inventos realmente útiles. Puede que hayas oído hablar de ellos. El servicio de envoltura de las tiendas y la maravillosa bolsa de regalo.

Ella se carcajeó y Ben se quedó hechizado con aquel sonido.

—Te propongo una cosa. Yo me encargo de los regalos con formas raras y tú te quedas con las cosas fáciles. Los libros, DVDs y demás formas básicas. Es pan comido. Deja que te lo demuestre.

Durante los minutos siguientes, Ben tuvo que soportar la tortura de tenerla de pie a su lado, inclinada sobre la mesa.

—El truco de un regalo bien envuelto es asegurarse de tener la cantidad justa de papel. Si es demasiado grande, te sobrará papel. Si es demasiado pequeño, el regalo se verá.

—Tiene sentido —murmuró él. Era muy consciente de su cuerpo junto a él, pero debajo del deseo físico había algo más profundo, una ternura que le aterrorizaba.

—De acuerdo, después de haber medido el papel, dejando entre dos y cuatro centímetros por todos los lados, subes los lados, uno por encima del otro, y los pegas con cinta adhesiva. Genial. Ahora dobla los bordes de arriba y de abajo en diagonal así… —se lo demostró— y los pegas también. Mejor si usas trozos pequeños de cinta. ¿Lo ves?

En aquel momento habría dicho que sí a cualquier cosa. Olía deliciosamente y solo quería sentarla en su regazo y olerle el cuello durante horas.

—Sí. Claro.

—Después puedes usar cinta para rodear el paquete o pegarle un lazo. ¿No queda genial? ¿Crees que puedes hacerlo solo ahora?

Ben se quedó mirando el regalo.

—En realidad no —admitió.

—¿Qué parte no has entendido? —preguntó ella con el ceño fruncido—. Me parece que ha sido una demostración estupenda.

—Probablemente. Pero solo he oído la mitad. Estaba demasiado ocupado recordando que tu boca sabe a fresas.

Caidy se quedó mirándolo durante unos segundos y después se sentó en una silla situada al otro lado de la mesa.

—Por favor, para —dijo en voz baja.

—Me gustaría. Créeme.

—Hablo en serio. No puedo soportar esto. No es justo. Flirteas conmigo y después me apartas. Por favor. Decídete, por el amor de Dios. No sé qué deseas de mí.

—Yo tampoco —admitió él—. Creo que ese es el problema. No paro de decirme que no puedo tener nada más que amistad en este momento. Entonces apareces tú y hueles muy bien, y nos traes la cena. Y para colmo eres preciosa y no puedo dejar de pensar en besarte de nuevo, en tenerte entre mis brazos.

Ella se quedó mirándolo con los ojos desencajados. Ben vio en esos ojos algo frágil. Era una mujer vulnerable. Él no era psicólogo, pero tenía la impresión de que se escondía en el rancho porque solo veía debilidad y miedo en ella misma. Veía a una chica de dieciséis años escondiéndose de los asesinos de sus padres. No se veía como una mujer fuerte, poderosa y deseable.

Podía hacerle daño, y eso era lo último que deseaba hacer.

—Lo siento. Perdona lo que he dicho. Será mejor que envolvamos los regalos para que puedas volver a casa y dormir un poco.

Tras quedarse mirándolo unos segundos más con aquellos ojos verdes tan abiertos, Caidy asintió.

—Sí. No querría estar aquí abajo envolviendo regalos si uno de los niños se despierta y baja a beber agua o algo.

Ben se entretuvo envolviendo un libro para Ava. No quedó mal, aunque no tan bien como los regalos de Caidy. Tras varios minutos trabajando en silencio, decidió que necesitaba algo como defensa entre ellos.

Se levantó de la mesa y se acercó al reproductor de música que la señora Michaels tenía en un rincón. Al encenderlo comenzó a sonar una melodía navideña. Recordó que a Caidy no le gustaban las canciones navideñas, pero no parecía importarle, así que dejó puesta esa emisora.

La pila de regalos empezó a disminuir y, en algún momento, Caidy empezó a hablarle de nuevo y a hacerle preguntas sobre los regalos que la señora Michaels y él habían comprado.

Ben salió un momento para ir a buscar más papel de regalo a la habitación de la señora Michaels y, cuando regresó, encontró a Caidy tarareando *Angels We Have Heard on High* con una voz suave y melódica.

Se quedó de pie en la puerta, preguntándose qué haría falta para que volviera a cantar. Caidy se detuvo abruptamente al notar su presencia y siguió envolviendo un traje nuevo para una de las muñecas de Ava.

—Has encontrado más papel. Ah, bien. Con eso podremos terminar.

Ben volvió a sentarse y comenzó a envolver un DVD para Jack.

—Háblame de las Navidades cuando eras pequeño —dijo ella tras unos segundos.

—De acuerdo. No es nada memorable.

—Todo el mundo tiene algún buen recuerdo de la Navidad. Preparar galletas, dar regalos a los vecinos. ¿Cuáles eran tus tradiciones?

—Normalmente teníamos un árbol bonito. El decorador de mi abuela se pasaba un día entero decorándolo. Era realmente bonito —no añadió que a Susie y a él no les permitían acercarse debido a los miles de dólares gastados en adornos de cristal que decoraban las ramas.

—¿Tu abuela?

—Sí. Mis abuelos nos criaron a mi hermana y a mí desde que yo tenía ocho años y hasta que me fui a la universidad.

—¿Por qué?

—Supongo que mi infancia no fue muy feliz, pero me siento estúpido por quejarme. No sé quién era mi padre. Mi madre era una adicta a las drogas que nos dejó a mi hermanastra y a mí con sus padres y desapareció sin dejar rastro. Murió de sobredosis unos tres meses más tarde.

—Oh, no. Lo siento mucho. Menos mal que tenías a tus abuelos para ayudarte a superarlo.

Ben soltó una carcajada.

—Mis abuelos eran gente muy adinerada e importante en los círculos sociales de Chicago, pero no deseaban cargar con la obligación de criar a los niños de una hija descontrolada de la que se habían distanciado años atrás. Probablemente nos habrían entregado a los servicios sociales si no hubieran tenido miedo de las apariencias. A veces desearía que lo hubieran hecho. No tenían paciencia para dos niños pequeños.

—Entonces mejor aún que te tomes tantas molestias para que tus hijos tengan una Navidad genial —dijo ella—. Te has convertido en el padre que nunca tuviste.

Su fe en él le hacía sentir humilde. Al oír sus palabras, sintió un vuelco en el corazón.

Aquello no era simple atracción. Estaba enamorado de ella.

¿Cómo había ocurrido?

Tal vez durante el paseo en carro, cuando la había visto con su sobrina Maya en el regazo, o cuando había salido a la puerta la otra noche, con harina en la mejilla por las pizzas que estaba preparando para los niños. O quizá la primera noche en la clínica, cuando se había arrodillado junto a su perro herido para calmarlo.

Ajena a aquella súbita epifanía que él estaba experimentando, Caidy colocó un lazo sobre el regalo que estaba envolviendo y retorció los extremos.

—Ya está. Este es el último.

En medio de su sorpresa, Ben centró su atención

en la pila de regalos. La señora Michaels, Caidy y él habían conseguido sacar adelante otra Navidad.

Caidy tenía razón. Era un buen padre, no porque pudiera hacerles muchos regalos, sino porque los quería, porque estaba haciendo lo posible por darles un lugar seguro en el que crecer, porque los trataba con paciencia y respeto.

—Gracias —aquella palabra le parecía insuficiente para todo lo que había hecho por él.

Ella sonrió y se levantó de la mesa. Estiró los brazos por encima de la cabeza para desentumecer los músculos y él tuvo que hacer un gran esfuerzo por no lanzarse sobre ella y devorarla.

—Imaginarme sus caras la mañana de Navidad es suficiente agradecimiento para mí. Tienes unos hijos realmente adorables, Ben.

—Así es —su voz sonaba ahogada y ella le miró de forma extraña, pero se limitó a ponerse el abrigo. Ben sabía que debería ayudarla, pero en aquel momento no se atrevía a acercarse a ella.

—Buenas noches.

Cuando Caidy se acercó a la puerta, él volvió en sí.

—Se me olvidaba que has venido andando hasta aquí. Voy a por mi abrigo y te acompaño a casa.

—No es necesario.

Para él sí lo era. Como respuesta, descolgó su abrigo del perchero y se lo puso.

—Llevo recorriendo este camino toda mi vida —insistió ella—. Estoy bien. No deberías dejar solos a los niños.

—Tardaré cinco minutos y veré la casa en todo momento.

—Qué hombre más testarudo eres, doctor Caldwell —contestó ella con un suspiro de resignación.

Cuando salieron de la casa y comenzaron a caminar bajo la nieve, con Tri dando brincos por delante de ellos, fue consciente de nuevo de la paz que sentía cuando estaba con ella.

Deseaba protegerla, hacerle sonreír, quitarle un peso de encima, como ella misma había dicho antes.

Su matrimonio no había sido así. Había amado a Brooke, pero, mientras caminaba junto a Caidy, no pudo evitar pensar que, en muchos aspectos, había sido un amor inmaduro. Se habían conocido cuando él estaba en la Facultad de Veterinaria y ella estaba de prácticas en Relaciones Públicas.

Por alguna razón que aún no comprendía, Brooke había decidido de inmediato que le deseaba, y él no había hecho nada por cambiar el curso que ella había marcado para los dos.

Había llegado a amarla, por supuesto, aunque su amor estuviera mezclado con la gratitud que sentía porque hubiera escogido a un hombre solitario y le hubiera dado una familia.

Pensaba que nunca volvería a enamorarse. Al morir Brooke, pensó que su mundo se había acabado. Había tardado todo ese tiempo en sentir que podía seguir hacia delante con su vida.

Y allí estaba, locamente enamorado de Caidy Bowman, y tremendamente asustado por ello. ¿Podría volver a poner en riesgo su corazón y su alma?

¿Y por qué estaba pensando en ello? Sí, Caidy respondía a sus besos, pero había pasado su vida adulta huyendo de cualquier relación que no fuera familiar. Tal vez ni siquiera estuviera interesada en tener nada más con él. ¿Por qué iba a estarlo? Él no tenía tanto que ofrecer en una relación. Era arisco e impaciente, con un par de hijos incansables con los que lidiar.

—Me preguntaba si podría pedirte un favor —dijo ella cuando casi habían llegado al establo—. Si tienes tiempo esta semana, ¿podrías echarle un vistazo a Sadie? Estoy preocupada por ella. Últimamente no se comporta con normalidad.

—Claro. Puedo pasarme mañana por la mañana.

—Oh, no creo que sea urgente. Podría ser después de Navidad.

—De acuerdo. A primera hora del miércoles. O, si a los niños y a mí nos apetece dar un paseo después de abrir los regalos, tal vez pueda pasarme por tu casa a echarle un vistazo.

—Gracias. Probablemente debas regresar. Has dejado el fuego encendido en la chimenea, no lo olvides.

—Sí —deseaba besarla allí mismo. Deseaba abrazarla contra su cuerpo y protegerla de cualquier pena.

Pero se recordó a sí mismo que no tenía ese derecho. Tal vez después de las fiestas, cuando los niños y él se hubieran mudado y la señora Michaels hubiera regresado, tal vez entonces podría pedirle que cenaran juntos y ver adónde podía llegar aquello.

—Gracias de nuevo por tu ayuda con los regalos.

—De nada. Si no vuelvo a verte antes, feliz Navidad.

—Lo mismo digo.

Ella volvió a sonreír. Aunque sabía que no debía, Ben dio un paso hacia delante y le dio un beso suave en la mejilla. Después se dio la vuelta, recogió a su perro y se alejó a través de la nieve, aprovechando que aún podía.

Capítulo 14

VAMOS, amiga. Aguanta. Solo unos minutos más.

El miedo se había apoderado de Caidy mientras conducía su camioneta aquella Nochebuena, repitiendo la escena que ya había vivido con Luke hacía unas semanas. Ahora estaba mucho más aterrorizada que con Luke, y los cuatrocientos metros que había hasta la casa del capataz le parecían no acabarse nunca.

Sadie no podía morir. Simplemente no podía. Pero, desde que había entrado en el establo minutos antes y había encontrado a su querida perra tendida en el suelo sobre la paja sin moverse, sus preocupaciones sobre la salud del animal a lo largo de los últimos días se habían convertido en un terror sobrecogedor.

Sadie, su mejor amiga, estaba apagándose. Lo sabía en el fondo de su corazón y apenas podía respirar por el dolor. Tampoco podía pensar con claridad. Solo un pensamiento había logrado abrirse camino a través del pánico.

Ben sabría qué hacer.

Había recogido a la perra, la había metido en el coche más cercano, la camioneta de Ridge, y había salido a toda velocidad hacia casa de Ben.

Ahora que se acercaba a la casa, se dio cuenta de la realidad. Era casi medianoche del día de Nochebuena. Los niños estarían dormidos. No podía entrar gritando y despertarlos, porque no podrían volver a dormirse.

Detuvo el coche frente a la puerta e intentó decidir qué hacer. Las luces del árbol de Navidad estaban encendidas. Tal vez Ben siguiera despierto.

Sadie no había emitido ningún sonido durante todo el trayecto, aunque Caidy veía que sus costillas se movían cuando respiraba.

Abrió su puerta y, mientras intentaba adivinar cuál sería su dormitorio para lanzarle una bola de nieve a la ventana y despertarle solo a él, la luz del porche se encendió y la puerta se abrió.

—¡Caidy! —exclamó Ben al reconocerla—. ¿Qué sucede?

—Es Sadie —contestó ella con un sollozo mientras corría hacia la puerta del copiloto de la camioneta—. Oh, por favor, Ben. Ayúdame.

Ben ni siquiera se detuvo a ponerse los zapatos; simplemente salió corriendo hacia ella.

—Dime qué ha ocurrido.

—No lo sé. Después de que Destry y Ridge se fueran a la cama, estaba sentada junto al árbol de Navidad y… he decidido ir al establo. Es una especie de lugar sagrado en Nochebuena, entre los animales. Da mucha paz. Esta noche necesitaba eso. Pero, al llegar allí, me he encontrado a Sadie tirada en la paja. No se movía.

—Vamos a meterla dentro para que pueda examinarla.

Ben tomó a la perra en brazos y la llevó adentro. Caidy le siguió aterrorizada. ¿Cómo podría soportar que Sadie muriera justo esa noche?

No. No iba a pensar en eso. Solo quería pensamientos positivos. Ben se encargaría de todo, estaba segura.

Recordó el día que había llevado a Luke a la clínica. Entonces Ben le había parecido frío y antipático. Ahora le vio tumbar a Sadie sobre una manta frente a la chimenea y se preguntó cómo había podido prejuzgarlo de ese modo.

Era un hombre amable y compasivo. Maravilloso. ¿Cómo habría podido imaginar aquel primer día que llegaría a ser tan importante para ella?

—¿Qué sucede, chica?

Al menos Sadie abrió los ojos al oír su voz, pero no se movió mientras él la examinaba con las manos.

—Dijiste que no se comportaba con normalidad. ¿Qué es lo que has notado? —preguntó él.

Caidy intentó pensar en los últimos días. La verdad era que había estado tan ocupada con el estrés de la Navidad que no le había prestado mucha atención a la perra.

—Ha estado aletargada durante tres o cuatro días. Y, las noches que quería dormir dentro, parecía que siempre tenía que salir a hacer pis. No ha comido mucho, pero parecía que tenía más sed de lo normal.

—Justo lo que sospechaba —dijo él.

—¿Qué?

—Tendré que hacerle algunos análisis, pero creo

que tiene fallos crónicos de riñón. Es común en los perros mayores.

—¿Puedes… puedes arreglarlo?

—La buena noticia es que probablemente pueda hacer que se sienta mejor esta noche. Necesita fluidos y siempre tengo algunos litros en mi kit de emergencia. Puedo ponerle una vía aquí mismo.

—¿Y la mala noticia?

—Se llaman fallos crónicos del riñón por una razón —contestó él—. Me temo que no hay ninguna cura milagrosa. Quizá podamos hacer que se sienta más cómoda durante unos meses, pero es lo más que podemos hacer. Lo siento mucho, Caidy.

Ella asintió y sintió que se le acumulaban las lágrimas en los ojos.

—Tiene trece años. Sabía que era cuestión de tiempo. Pero… incluso unos pocos meses más con ella serían el mejor regalo que podrías hacerme.

—No estoy completamente seguro de que sean fallos en el riñón. Podría ser algo completamente diferente, pero, a juzgar por los síntomas que describes y el examen que le he hecho, estoy seguro al noventa y nueve por ciento. Si quieres, puedo esperar a tratarla hasta que le haya sacado sangre.

—No. Confío en ti por completo. Sabía que tú podrías ayudarla. Cuando la he encontrado tirada en el establo, lo único en lo que podía pensar era en traértela.

Ben pareció sobresaltado al oír eso y la miró de forma extraña.

—Entonces iré a por las cosas para ponerle la vía.

Cuando salió de la habitación, Caidy se arrodilló junto a Sadie, que le había dado amor incondicional durante los peores momentos de su vida, cuando era una chica triste y perdida de dieciséis años.

—Ben te ayudará —le dijo mientras le acariciaba la cabeza—. Pronto te sentirás mejor. No podemos dejar que te quedes sin tu calcetín de Navidad. Te contaré un secreto. No se lo digas a los demás, pero te he comprado una lata de pelotas de tenis. Tus favoritas.

Sadie agitó el rabo sobre la alfombra. Era un pequeño signo de entusiasmo, sí, pero más de lo que Caidy le había visto hacer desde que entrara en el establo.

¿Qué habría ocurrido si no la hubiese encontrado a tiempo? La perra no se habría salvado. Estaba segura de ello. Cuando Destry, Ridge y ella hubieran ido a hacer sus tareas la mañana de Navidad, habrían encontrado allí su cuerpo sin vida.

¿Por qué habría decidido ir al establo? Sí, había encontrado paz y consuelo allí en algunas ocasiones en Nochebuena a lo largo de los años, pero no lo había convertido en una costumbre.

Se encontraba mirando por la ventana hacia la casa del capataz, dispuesta a meterse en la cama tras un largo día con su familia, cuando de pronto había sentido el impulso de ponerse el abrigo y salir de la casa.

¿Coincidencia? Quizá. Pero no estaba convencida. Había sido más bien inspiración. Tal vez su propio milagro navideño.

La idea le puso los pelos de punta. ¿Qué otra cosa podía ser? Había ido al establo justo a tiempo para salvar una vida. Y lo más milagroso era que a cuatrocientos metros vivía un veterinario estupendo que sabía lo que tenía que hacer. Sí. Un milagro.

Experimentó una sensación de paz y de amor por todo el cuerpo. Una sensación de liberación que borró el miedo y la tristeza que, para ella, se habían convertido en parte de la Navidad.

El reloj de encima de la chimenea dio la hora. Medianoche. Ya era Navidad. ¿Qué mejor momento para un milagro, para las segundas oportunidades, para la esperanza y la vida?

Se inclinó sobre Sadie y comenzó a tararear una de sus canciones navideñas favoritas, *It Came Upon a Midnight Clear*. Tras unas estrofas, las palabras se le agolparon en el corazón, ansiosas por salir.

Y, por primera vez en once años, comenzó a cantar.

Con la bolsa del gotero en la mano, Ben se quedó de pie en la puerta, con miedo a moverse y a respirar mientras escuchaba las notas que llenaban el aire. Tenía que ayudar a su perra con rapidez, pero podría esperar unos segundos más.

Caidy estaba cantándole a la perra y su voz era el sonido más maravilloso que había oído jamás.

Cuando terminó la canción, Ben se obligó a entrar en la habitación y se arrodilló junto a ella. Caidy le miró con rubor en las mejillas.

—No tienes por qué parar —le dijo él mientras se ponía los guantes de látex y se disponía a pinchar la vía—. De hecho, espero que no lo hagas. Parece que a Sadie le tranquiliza.

Caidy se quedó callada durante unos segundos y después comenzó a cantar *Away in a Manger*.

—Tu hermano tiene razón —comentó él cuando Caidy cantó la última nota del tercer verso—. Tienes una voz preciosa. Me siento bendecido por tener la oportunidad de oírla.

Ella le dirigió una sonrisa temblorosa.

—No sabes lo extraño que me resulta cantar. Extraño y maravilloso. Todo este tiempo la música ha estado ahí, esperando a que yo le permitiese salir.

—Yo no los conocía, pero estoy seguro de que tus padres se alegrarían de que hayas vuelto a encontrar tu voz.

—Tienes razón. Sé que tienes razón. ¿Hay algo que pueda hacer ahora mismo por Sadie?

Ben centró toda su atención en la perra.

—Ahora voy a darle un bolo; se trata de una gran cantidad de fluidos en muy poco tiempo. Después le iremos administrando la otra bolsa más lentamente durante la próxima hora. También le he puesto medicación en el suero para que se despierte un poco. Observaremos resultados dentro de poco. Me temo que tendré que dejarla aquí toda la noche. ¿Te importa?

—¿Importarme? —Caidy soltó una carcajada—. No sé qué habría hecho sin ti, Ben.

—Supongo que ahora me tocaba a mí quitarte un peso de encima, para variar.

Aunque Caidy sonrió, las luces del árbol se reflejaban en sus ojos, que estaban llenos de lágrimas. Una de ellas resbaló por su mejilla y él se la secó con el pulgar.

—Por favor, no llores.

—Son lágrimas de felicidad —le prometió ella—. Bueno, tal vez un poco agridulces. Sé que ella no estará aquí para siempre. Pero ahora está aquí gracias a ti. Eso es lo que importa. Está aquí. No sé si sería lo suficientemente fuerte para perderla en Nochebuena.

—Ya no es Nochebuena. Es más de medianoche. Feliz Navidad.

—Feliz Navidad, Ben —respondió ella con una sonrisa.

Ben siguió acariciándole la mejilla con el pulgar.

Incapaz de resistirse, le rodeó la cara con ambas manos y la besó. Ella suspiró suavemente y le rodeó con los brazos.

El momento parecía perfecto, con el árbol de Navidad de fondo, y Ben no quería hacer nada para romper el hechizo, pero sabía que ella no podría sentirse cómoda durante mucho más tiempo estando de rodillas. La recostó junto a él contra el sillón y ambos se quedaron sentados en el suelo, con ella casi subida en su regazo.

Se besaron durante unos minutos con suavidad y aquello fue más mágico que cualquier mañana de Navidad con la que él hubiera soñado de niño. Sentía que el amor brotaba de su alma como las notas de la canción de Caidy.

Amaba a aquella mujer fuerte y valiente y la necesitaba en su vida. Jack y Ava también la necesitaban. Todas sus razones para tomárselo con calma e ir despacio parecían carecer de importancia.

Sí, aquello podía suponer otro cambio importante para todos, pero sabía que sus hijos eran fuertes. Además a ambos les caía bien Caidy. Incluso Ava se lo había dicho después de la noche de pizza. No tardarían en quererla también.

Finalmente Caidy se apartó con brillo en los ojos. Abrió la boca para hablar, pero después debió de decidir que no quería romper la paz del momento. Se giró entre sus brazos para mirar a Sadie.

Pasados unos minutos, Tri entró en la habitación, probablemente preguntándose dónde estaría su dueño. El chihuahua se acercó a Sadie, que seguía tumbada frente al fuego. Ben estuvo a punto de llamarle para disuadirlo, pero Sadie empezó a mover el rabo y se movió ligeramente para olisquear al otro perro. Tri le lamió la boca y después se acurrucó a su lado.

—Mírala —dijo Caidy riéndose.

—La medicación le está haciendo efecto. Imagino que, para cuando los niños se levanten, tendrá tanta energía como ellos.

—Es asombroso. Tú eres asombroso.

Cuando Caidy le miraba así, se sentía el mejor veterinario del país. Le dio un beso y, aunque sabía que en parte se debía al agradecimiento, sintió algo más en su manera de besarlo, en cómo le rodeaba el cuello con los brazos.

Finalmente supo que no podía quedarse callado por más tiempo.

—¿Crees que supone un conflicto de intereses que un veterinario esté enamorado de la dueña de uno de sus pacientes?

Caidy se quedó mirándolo, convencida de que el estrés de la última media hora debía de estar interfiriendo con su capacidad auditiva. ¿Acababa de decir que...?

El corazón le dio un vuelco y se sintió incapaz de pensar nada coherente.

—¿Era una pregunta hipotética? —preguntó al fin en voz baja y temblorosa.

Ben la rodeó con fuerza entre sus brazos y la miró con una ternura que le dejó sin aliento.

—Creo que ya sabes cuál es la respuesta. He estado resistiéndome como loco por un sinfín de razones estúpidas. Pero esta noche, al escucharte cantar, me he dado cuenta de que esas razones no importaban. Te quiero, Caidy. No estaba buscándolo. Menos ahora, cuando mi vida es un caos. Me decía a mí mismo que no quería arriesgarme de nuevo. Pero lo curioso es que tú calmas ese caos. No sé cómo lo hiciste, pero entraste en mi vida con tu valentía, con tus perros y con tu sonrisa e hiciste que cambiara todo aquello que creía que deseaba.

—Ben —murmuró ella, increíblemente conmovida al ver que un hombre que al principio le había parecido frío y taciturno estuviera diciéndole aquellas palabras.

—Creo que empecé a enamorarme de ti el día que viniste a la clínica, decidida a obtener el mejor tratamiento para tu perro. Lo supe con certeza la otra noche, cuando viniste a ayudarme a envolver los regalos de los niños, aunque no te guste la Navidad.

—No sé. Creo que mi perspectiva está cambiando un poco.

Él se rio y volvió a besarla. Cuando ella se apartó segundos más tarde, Sadie estaba incorporada, mirando a su alrededor mientras Tri le olisqueaba una oreja. Caidy no sabía si su corazón podía albergar más alegría.

—En respuesta a tu pregunta —le dijo a Ben—, no creo que haya conflicto de intereses siempre que a dicho veterinario no le importe que la dueña en cuestión también esté muy enamorada de él.

—¿Lo está?

—Oh, sí. Te quiero. Más de lo que imaginas. Y a Ava y a Jack también. Pensaba que estaba satisfecha con la vida que llevo en el rancho, ayudando a Ridge, pero durante las últimas semanas me he dado cuenta de que me faltaba algo bueno. Tú. Todo este tiempo creo que he estado esperándote a ti.

Ben se quedó mirándola durante varios segundos, después le agarró la mano y le dio un beso en la palma.

—Ya estoy aquí. Y no voy a ninguna parte.

Caidy no podía albergar más alegría. Sadie se pondría bien, al menos por el momento. Era Navidad, el momento de los milagros y de la esperanza, y tenía once Navidades atrasadas con las que ponerse al día. ¿Qué mejor lugar para hacerlo que en los brazos del hombre al que amaba?

Le rodeó con los brazos y Ben se rio suavemente, casi como si no pudiera evitarlo. Después volvió a besarla mientras las luces del árbol parpadeaban y los perros se acurrucaban junto al fuego.

Epílogo

ME encantan las bodas en Navidad —exclamó Laura mientras ajustaba una de las horquillas que sujetaban el velo de Caidy.

—No es Navidad —dijo Maya con una lógica irrefutable. A través del espejo Caidy vio a la niña sentada en el banco de la sala reservada para las novias en la pequeña iglesia de Pine Gulch, sujetando en brazos al hijo de seis meses de Trace y Becca—. Papá Noel no viene hasta dentro de cinco días.

—Cierto —respondió su madre con una sonrisa—. Debería haber dicho que me encantan las bodas en época navideña. ¿Así está mejor?

—Sí —contestó Maya, adorable con su vestido azul y plateado.

—La iglesia está preciosa —dijo Becca, y se apresuró a tomar al pequeño Will en brazos cuando vio que Maya empezaba a cansarse de tenerlo encima—. Parece el país de la nieve, con todos esos copos plateados y los lazos azules. Es mucho mejor que el tradicional rojo y verde. Aunque, por muy bonito que sea lo de fuera, no tiene nada que envidiar a la novia. Estás espectacular. ¿Estás feliz, Caidy?

Ella sonrió a sus cuñadas. Sentía cierto dolor porque su madre no pudiera estar presente en el día de su boda, pero aquel era un momento de alegría, no de tristeza. Tal vez no tuviera a su madre, y eso siempre le dolería, pero sí tenía a aquellas mujeres maravillosas a las que tanto quería.

—«Feliz» es poco para lo que siento. No creo que me quepa dentro más alegría.

—A mí tampoco —dijo Ava, que estaba preciosa con su vestido de dama de honor.

—Lo mismo digo —confirmó Destry, con el vestido a juego.

A veces Caidy no podía creer lo mucho que había cambiado su vida desde las últimas Navidades. Con los años, se había dicho a sí misma que era feliz viviendo en el rancho, ayudando a su hermano con Destry, criando perros y caballos. Ahora se daba cuenta de cómo había influido en su vida un hecho terrible y violento. Había estado escondiéndose, ahogándose en sus miedos y sin querer arriesgarse.

Ben había cambiado eso. Aquel último año había estado lleno de felicidad, más de la que habría podido imaginar. También algo de tristeza, a decir verdad. Tras su milagrosa recuperación navideña, Sadie había llegado hasta primavera. Los últimos meses había mostrado más energía que en años, pero una mañana de abril, se la había encontrado bajo las ramas de un manzano junto a la casa. Ben había ayudado a enterrar a su amiga en la ladera que daba al rancho y al río, y la había abrazado mientras lloraba.

Ambos se habían tomado su tiempo a lo largo del año, habían ido despacio para que los niños pudieran acostumbrarse a la idea de que ella estuviera en sus vidas de forma regular.

A Jack no le había costado aceptarla. Como esperaba, Ava se había mostrado más resistente. Al principio se había resistido a la idea de que alguien ocupara el lugar de su madre. Pero ahora, un año después de que Ben y ella empezaran a salir, Caidy creía que Ava y ella habían desarrollado una relación fuerte y sólida.

Casarse en diciembre había sido idea de Ben, para darle algo alegre que recordar durante aquella época de esperanza y de promesas.

—Creo que ya estás lista —anunció Laura—. Oh, Caidy. Me alegro tanto por ti.

La esposa de Taft la abrazó aunque, a los cuatro meses de embarazo, empezaba a abultar un poco.

—Lo mismo digo —intervino Becca, le dio un beso en la mejilla y le estrechó las manos—. Te mereces a un tipo maravilloso como Ben. Me alegro muchísimo de que resultara no ser un imbécil maleducado y arrogante.

Caidy se estremeció al recordar sus palabras de hacía más de un año.

—No dejaréis que se me olvide, ¿verdad?

—Probablemente no —respondió Laura con una sonrisa.

En ese momento llamaron a la puerta. Abrió Ava y Ridge asomó la cabeza.

—¿Estamos listas? —preguntó—. Sé de cierto veterinario que empieza a impacientarse.

Caidy tomó aliento y se ajustó el vestido.

—Creo que sí.

—Vamos, chicas. Todas a sus puestos —ordenó Becca.

Laura le ajustó a Caidy el velo por última vez y después se echó atrás.

—De acuerdo. Está perfecto.

Tras tomar aliento de nuevo, Caidy puso la mano en el brazo de su hermano.

—Estás increíble —le dijo Ridge—. Mamá y papá habrían estado orgullosos de la mujer en la que te has convertido. Guapa por dentro y por fuera.

—No me hagas llorar —dijo ella con un nudo en la garganta.

—Es cierto. También les habría gustado Ben. Es un buen hombre. La mayor alabanza que puedo hacerle es decir que creo que es casi lo bastante bueno para ti. Me alegra que seas feliz.

—Lo soy. He tardado un tiempo, pero lo he conseguido.

—Entonces, adelante.

El pequeño coro de la iglesia, en el que ahora cantaba todos los domingos, comenzó a cantar el *Canon* de Pachelbel y ella respiró profundamente. Cuando Ridge y ella comenzaron a andar por el pasillo detrás de las damas de honor, miró hacia delante y vio al veterinario, a veces taciturno, al que amaba sin medida. El padrino, Jack, le daba la mano.

Con el corazón lleno de amor por él y por sus hijos, Caidy recorrió el pasillo junto a su hermano hacia un futuro lleno de alegría, risas y canciones.